JAPANESE WORD SEARCH

Learn 1,200+ Essential Japanese Words Completing Over 100 Puzzles

Ryan J. Koehler

Published by
The East Interpreter

ISBN 978-0-578-73221-3 (Paperback)

Cover illustration and design by Becca Rand

First Edition, 2020.

Published by The East Interpreter
Arlington, Virginia

JapaneseWordSearch.com

目次 Table of Contents

営業 Business 1番目

置	企	大	負	装	債	保	資	本	意	座	計	先	大	金	画	先	債	本	装
負	画	企	本	業	投	投	投	装	告	投	投	装	置	保	代	大	張	義	債
保	代	業	置	資	主	意	投	金	先	出	本	得	告	広	義	投	本	得	画
金	広	出	出	資	置	投	金	得	本	企	先	税	業	険	意	装	先	座	置
張	企	計	座	計	険	業	口	業	意	座	投	義	業	座	本	計	出	業	大
先	負	税	画	業	資	広	険	主	座	得	負	店	先	計	負	義	主	本	資
大	代	広	先	張	保	大	代	金	負	出	主	大	大	債	出	負	税	業	代
口	投	税	義	出	装	口	意	口	広	投	義	業	主	告	得	口	大	資	大
代	本	画	保	負	資	理	負	口	意	資	資	代	計	意	業	座	業	企	負
投	得	広	意	主	口	税	金	代	計	企	出	主	先	主	債	広	置	座	得
大	理	張	負	険	意	口	険	険	険	本	保	主	税	計	債	義	得	座	企
意	装	本	税	大	口	画	税	画	税	本	口	店	税	理	代	険	大	資	本
資	画	得	意	険	出	資	主	装	張	企	張	本	計	本	企	理	負	税	企
置	店	意	業	座	債	置	画	計	資	投	主	先	険	張	投	険	店	理	企
険	主	装	理	置	資	資	理	主	債	告	負	企	張	保	義	本	理	税	大

しほんしゅぎ
資本主義 capitalism

しゅっちょう
出張 business trip

とくいさき
得意先 client

ほけん
保険 insurance

ふさい
負債 debt

そうち
装置 equipment

ぜいきん
税金 tax

とうしけいかく
投資計画 investment plan

だいきぎょう
大企業 large company

だいりてん
代理店 agency

こうざ
口座 account

こうこく
広告 advertisement

営業 Business 2番目

商 送 調 送 品 割 調 調 合 注 貯 急 割 査 査 注 通 査 注 売
貯 求 運 文 帳 書 書 物 蓄 品 調 送 運 運 請 税 刺 注 刺 送
通 調 調 貯 騰 求 帳 注 急 書 調 標 刺 合 帳 合 合 調 蓄 求
合 送 名 通 運 合 合 費 上 請 調 上 注 刺 騰 品 通 書 査 騰
求 税 書 名 上 帳 書 貯 割 蓄 帳 割 急 上 文 名 上 求 げ 注
げ 割 標 商 げ 求 合 割 税 急 げ 物 急 割 騰 合 げ 貯 請 名
物 急 送 急 請 合 げ 帳 げ 上 貯 求 査 上 上 書 急 費 割 売
物 送 蓄 書 費 送 費 げ 割 物 刺 商 上 蓄 蓄 貯 運 通 割 物
注 上 蓄 査 書 蓄 査 通 帳 品 売 刺 通 書 費 税 刺 急 費 調
品 請 通 査 書 注 標 注 費 商 求 上 運 調 合 求 請 上 売 注
蓄 名 品 合 求 税 調 運 売 騰 割 上 げ 注 蓄 名 売 貯 注 げ
刺 税 費 帳 費 請 刺 物 品 税 注 物 名 注 送 運 税 上 上 名
調 注 注 請 文 税 注 費 騰 文 売 急 費 品 注 請 文 標 注 帳
割 帳 査 帳 売 名 品 商 求 送 騰 げ 査 注 帳 物 調 費 送 運
求 税 割 帳 合 査 売 査 査 運 送 帳 売 送 刺 求 送 求 刺 求

うんそうひ
運送費 — shipping cost

しょうひょう
商標 — trademark

ちょうさ
調査 — survey

わりあい
割合 — proportion

きゅうとう
急騰 — sudden rise

ちょちく
貯蓄 — savings

ぶっぴんぜい
物品税 — commodity tax

うりあげ
売上げ — sales

ちゅうもん
注文 — order

つうちょう
通帳 — bank book

めいし
名刺 — name card

せいきゅうしょ
請求書 — bill

営業 Business 3番目

均	述	関	競	費	書	競	書	費	費	替	益	格	市	費	純	場	平	格	面
格	競	告	関	状	純	用	告	用	競	均	定	接	場	成	記	務	平	替	替
格	競	為	安	格	書	広	長	記	替	務	務	書	価	面	安	広	純	均	信
事	市	成	記	定	費	状	市	税	書	務	純	安	格	職	場	安	職	書	用
面	信	定	告	替	競	関	費	告	告	平	面	費	長	為	告	市	場	関	税
記	状	面	用	書	価	場	職	用	告	競	競	平	長	安	平	安	書	用	純
税	用	場	述	競	用	益	替	場	価	状	益	成	替	場	為	面	市	格	替
述	告	記	税	書	広	面	信	事	関	安	定	関	述	市	競	信	事	純	用
価	務	競	務	面	書	均	価	接	接	安	競	価	接	関	価	用	書	格	状
職	告	記	広	定	純	安	職	成	書	述	争	職	純	務	競	状	純	替	為
純	状	価	安	純	務	為	費	信	接	平	費	安	面	成	告	価	格	争	費
面	場	状	関	接	平	安	為	書	安	長	為	広	為	純	費	関	替	務	広
為	益	務	記	費	務	事	格	告	純	信	職	記	場	競	状	価	益	定	競
費	争	接	面	状	職	述	平	費	成	競	長	述	広	務	面	定	争	場	長
広	告	告	純	職	替	用	関	述	接	平	接	安	用	益	純	純	市	価	長

こうこくひ
広告費 advertising costs

へいきん
平均 average

きょうそう
競争 competition

かんぜい
関税 customs duty

めんせつ
面接 interview

しょくむきじゅつしょ
職務記述書 job description

しんようじょう
信用状 letter of credit

しじょうかかく
市場価格 market price

かわせ
為替 money order

じゅんえき
純益 net income

じむ
事務 clerical work

あんていせいちょう
安定成長 steady growth

営業 Business 4番目

需	期	配	配	顧	配	料	告	金	流	通	業	者	き	り	要	需	料	業	流
期	通	引	き	引	割	配	給	価	資	給	償	割	流	割	価	長	納	割	配
業	要	納	割	配	告	業	客	書	り	価	割	償	給	期	書	要	分	り	配
き	長	納	給	書	却	き	業	業	繰	報	報	告	書	営	償	部	営	業	報
供	引	償	要	期	期	給	料	り	金	告	却	却	期	料	報	価	要	通	償
引	き	配	者	者	期	告	客	資	資	書	告	り	客	業	客	引	料	告	り
者	割	繰	き	配	告	給	需	り	部	資	き	給	価	告	資	要	引	給	報
流	り	報	供	減	金	客	却	繰	供	引	期	納	繰	長	価	価	割	客	繰
報	配	書	流	金	業	引	者	減	き	長	償	繰	営	者	通	通	流	減	金
繰	業	告	業	者	長	書	報	金	引	書	流	繰	繰	通	減	要	顧	客	期
告	給	報	給	分	割	割	給	金	引	長	金	却	料	金	顧	配	期	却	部
期	供	業	告	書	繰	分	配	給	部	き	償	長	供	書	金	引	割	引	分
り	者	営	納	引	業	需	長	割	納	価	金	通	り	減	客	金	顧	期	供
価	給	き	通	減	告	顧	割	客	減	却	り	書	供	者	き	割	報	繰	報
償	償	却	者	資	告	者	給	き	繰	納	流	償	要	減	料	報	給	償	需

のうき
納期 — delivery time

りゅうつうぎょうしゃ
流通業者 — distributor

ぶちょう
部長 — general manager

きょうきゅう
供給 — supply

じゅよう
需要 — demand

げんかしょうきゃく
減価償却 — depreciation

わりびき
割引き — discount

りょうきん
料金 — fee

しきんぐり
資金繰り — cash flow

えいぎょうほうこくしょ
営業報告書 — business report

こきゃく
顧客 — client

ぶんぱい
分配 — distribution

営業 Business 5番目

購	者	集	支	品	門	専	下	下	金	発	門	金	欲	門	者	欲	欲	集	注
力	集	発	欲	問	売	問	機	投	購	頭	業	支	問	欲	頭	失	屋	易	発
購	発	請	支	失	力	業	買	屋	脳	請	売	購	予	投	金	量	支	注	量
年	注	予	者	専	品	下	測	集	頭	者	頭	企	請	屋	失	品	量	年	頭
年	買	脳	頭	意	業	購	団	団	力	支	者	失	易	収	注	売	請	易	業
屋	販	売	機	集	支	年	門	企	業	年	金	集	年	屋	屋	金	機	企	問
売	測	頭	量	欲	脳	量	貿	易	収	支	下	団	発	屋	注	失	請	金	注
業	収	収	意	門	頭	機	年	頭	予	問	屋	企	品	売	失	下	失	頭	屋
失	測	売	金	機	貿	門	品	失	機	年	金	下	機	金	欲	易	貿	量	脳
力	販	業	販	意	貿	欲	販	機	業	購	門	販	収	貿	販	業	企	投	下
販	貿	脳	門	屋	失	予	品	失	予	者	専	品	下	投	投	屋	団	脳	下
測	量	専	発	集	売	集	企	注	測	門	購	購	下	貿	購	買	門	欲	者
品	企	欲	請	企	失	欲	脳	意	予	年	量	頭	力	購	注	請	脳	機	販
業	販	問	力	問	投	販	専	発	売	金	売	量	機	量	発	専	意	力	発
機	売	投	金	欲	貿	測	売	発	販	金	専	収	集	企	力	買	購	業	集

こうばいりょく
購買力 purchase power

きぎょうねんきん
企業年金 retirement annuity

はんばいよそく
販売予測 sales forecast

せんもんひん
専門品 specialty goods

とうき
投機 speculation

したうけきぎょう
下請企業 subcontractor

ずのうしゅうだん
頭脳集団 think tank

ぼうえきしゅうし
貿易収支 trade balance

しつぎょうしゃ
失業者 unemployed person

はっちゅうりょう
発注量 order quantity

とんや
問屋 wholesaler

はんばいいよく
販売意欲 willingness to sell

営業 Business 6番目

売	財	閥	格	示	本	監	財	品	経	製	財	純	販	店	売	製	監	本	格
り	純	形	格	閥	販	産	戦	財	製	れ	役	本	り	戦	監	製	積	製	販
示	営	財	産	売	査	品	形	り	積	見	形	資	切	財	販	販	入	切	査
れ	価	査	戦	資	切	札	本	役	入	産	本	格	表	店	入	り	戦	査	形
外	外	略	札	表	純	営	入	れ	財	本	れ	店	純	手	表	査	閥	格	見
価	品	製	国	外	財	純	切	れ	査	積	見	表	見	格	示	査	販	国	格
役	査	監	製	品	示	品	格	外	販	国	本	示	れ	手	れ	品	戦	経	純
査	れ	査	閥	積	格	財	本	販	戦	積	閥	品	手	経	産	札	財	資	れ
産	戦	製	本	資	資	格	切	積	産	積	監	示	格	戦	品	営	格	れ	外
純	本	り	表	監	切	閥	積	売	札	外	れ	売	表	れ	形	役	積	形	り
示	売	本	閥	監	店	札	本	監	営	表	本	財	販	示	売	監	本	入	り
査	形	価	手	査	り	役	産	積	示	略	り	査	国	純	価	閥	営	査	店
外	営	品	営	本	手	表	戦	略	品	切	手	製	形	り	国	格	店	販	価
表	札	手	り	略	閥	形	表	積	役	外	本	純	積	国	国	価	財	示	資
形	品	れ	戦	り	経	営	国	製	産	積	形	製	純	営	略	価	表	品	品

かんさやく
監査役 auditor

てがた
手形 bill

けいえい
経営 management

にゅうさつ
入札 bidding

ざいばつ
財閥 conglomerate

みつもり
見積り estimate, quote

がいこくせいひん
外国製品 foreign products

ほんてん
本店 main shop, this shop

ひょうじかかく
表示価格 list price

はんばいせんりゃく
販売戦略 marketing strategy

じゅんしさん
純資産 net worth

しなぎれ
品切れ out of stock

営業 Business 7番目

領	会	収	給	脳	収	収	基	効	費	出	割	監	者	株	割	き	脳	会	流
流	頭	類	率	委	現	消	引	基	通	者	収	流	類	監	役	通	員	役	役
給	流	消	出	給	費	現	査	株	効	給	給	類	収	給	流	委	割	金	会
流	基	領	取	者	査	類	締	取	流	出	引	普	本	頭	会	者	収	者	取
脳	者	収	取	頭	株	者	割	給	出	頭	率	株	取	収	現	給	会	書	書
き	現	書	監	費	株	通	普	効	書	監	費	通	費	査	き	頭	き	役	費
効	引	割	消	収	引	類	員	出	通	消	書	領	監	引	出	査	費	金	類
者	類	取	費	脳	頭	締	給	書	給	委	役	頭	現	委	き	現	査	現	会
頭	給	費	流	給	役	き	費	出	委	収	脳	頭	株	収	監	本	引	委	現
書	消	領	現	費	き	現	収	類	通	流	給	領	流	監	効	割	流	査	員
率	出	員	脳	収	効	流	費	脳	出	者	本	き	流	取	委	締	締	会	委
株	出	役	通	率	締	会	書	類	締	監	基	効	者	消	書	委	会	者	費
者	監	現	出	監	金	割	流	会	率	収	監	き	通	給	役	役	通	普	領
監	給	流	引	割	金	現	監	会	者	監	き	本	率	割	締	給	金	給	効
割	脳	引	締	消	査	き	脳	領	割	現	流	収	委	取	本	監	領	出	頭

りょうしゅうしょ
領収書 receipt

こうりつ
効率 efficiency

ずのうりゅうしゅつ
頭脳流出 brain drain

かんさ
監査 audit

きほんきゅう
基本給 base pay

とりしまりやくかい
取締役会 board of directors

げんきんわりびき
現金割引 cash discount

いいんかい
委員会 committee

ふつうかぶ
普通株 common stock

しょうひしゃ
消費者 consumer

とりひき
取引き deal

しょるい
書類 documents

営業 Business 8番目

会	売	目	店	持	長	長	社	基	り	書	受	手	基	り	計	標	課	手	価
持	店	店	り	売	安	会	標	基	度	長	計	基	付	準	大	社	り	付	年
課	入	年	売	裏	度	度	安	基	書	準	書	入	標	持	会	大	社	会	計
基	課	売	格	持	年	大	格	基	社	社	会	持	株	会	社	度	標	価	付
手	り	受	格	社	計	課	目	持	裏	付	価	持	安	準	会	社	受	売	目
年	店	課	持	売	会	準	売	店	り	会	社	入	安	店	書	基	手	社	会
り	手	店	受	受	計	持	価	大	持	受	格	手	安	株	株	計	目	長	会
売	長	標	価	計	受	準	目	価	持	売	受	年	計	社	標	会	標	価	受
株	り	長	基	裏	目	目	手	付	会	手	基	長	秘	持	受	入	準	手	持
店	会	株	手	持	長	計	度	長	入	目	格	店	標	手	年	課	り	価	度
長	基	株	裏	格	計	入	売	目	安	標	売	安	裏	持	長	り	社	度	標
標	売	株	り	裏	度	安	目	計	格	価	課	基	付	価	手	度	安	大	大
り	会	売	安	年	り	大	書	手	安	格	大	店	受	準	価	大	価	売	社
裏	標	度	長	社	社	価	社	書	秘	度	課	書	準	入	格	り	秘	手	秘
受	書	大	大	売	課	書	店	店	店	課	受	売	標	売	付	持	目	目	度

にゅうしゃ
入社 joining a company

もくひょうかかく
目標価格 target price

きじゅん
基準 standard, basis

かちょう
課長 section chief

やすうりてん
安売り店 discount store

うらがき
裏書 endorsement

かいけいねんど
会計年度 fiscal year

もくひょう
目標 goal

もちかぶがいしゃ
持株会社 holding company

おおて
大手 major company

うけつけ
受付 receptionist

ひしょ
秘書 clerical secretary

営業 Business 9番目

店 い 争 支 長 株 式 会 社 争 張 原 価 百 原 所 争 副 価 店

争 価 副 争 式 職 職 品 造 価 新 張 原 社 支 支 評 原 務 開

式 品 い 新 出 新 払 子 百 評 開 店 開 百 店 出 子 式 造 発

子 長 発 所 開 会 品 出 品 払 い 当 開 製 品 会 新 支 出 長

競 過 副 評 製 造 過 製 副 払 品 会 争 株 社 支 出 新 造 競

会 価 店 当 価 百 貨 店 争 株 評 競 品 貨 原 評 社 支 長 開

い い 副 原 子 支 い 張 品 品 当 副 新 価 争 店 払 造 い 競

競 社 所 評 品 社 払 支 払 過 新 開 長 新 価 払 造 当 張 株

長 式 社 百 張 製 払 株 開 開 職 い 品 製 新 子 競 造 価 開

貨 発 製 新 払 当 職 造 張 職 払 店 務 出 張 所 店 過 争 式

争 原 所 社 争 副 務 開 百 造 払 発 出 製 支 所 貨 所 長 新

過 当 長 式 店 務 評 製 争 争 過 貨 副 副 社 製 新 出 職 張

職 い 百 副 会 式 価 造 競 式 社 当 価 張 競 支 新 張 払 社

原 払 新 い 新 過 当 原 当 い 造 支 競 出 所 発 社 品 子 貨

貨 支 開 所 支 品 過 価 評 払 価 当 張 社 新 職 新 貨 張 製

しゅっちょうじょ	出張所	branch office
こがいしゃ	子会社	subsidiary company
しゃちょう	社長	company president
ふくしゃちょう	副社長	company vice-president
かとうきょうそう	過当競争	excessive competition
しょくむひょうか	職務評価	job evaluation
しんせいひん	新製品	new product
しはらい	支払い	payment
かぶしきがいしゃ	株式会社	joint-stock corporation
せいぞうげんか	製造原価	production cost
ひゃっかてん	百貨店	department store
かいはつ	開発	development

営業 Business 10番目

経	所	経	得	行	貸	間	照	工	所	経	学	額	金	預	行	銀	貸	行	学
預	得	課	消	照	銀	人	対	学	営	営	予	商	経	税	対	商	額	行	行
景	消	営	課	表	行	戦	荒	経	額	金	費	業	総	額	券	気	券	略	行
銀	利	測	額	気	券	表	行	金	税	戦	気	銀	学	経	銀	券	課	銀	表
利	工	略	予	行	税	景	照	得	額	行	業	行	人	預	費	営	利	照	銀
対	略	表	税	経	行	行	学	対	人	表	工	費	経	照	貸	学	人	得	商
税	表	総	測	預	戦	表	利	予	借	課	預	対	総	金	人	工	表	行	預
学	税	得	利	荒	略	人	経	得	学	貸	表	利	消	間	業	消	券	表	額
略	費	所	券	所	消	戦	商	学	荒	工	営	戦	対	銀	消	商	間	税	課
課	消	景	税	預	気	行	額	銀	預	得	営	得	営	行	経	表	借	経	営
工	金	予	金	貸	金	学	予	経	人	人	行	略	額	商	得	総	税	略	対
行	業	所	気	荒	券	業	貸	券	所	所	貸	工	照	表	景	預	銀	表	荒
荒	略	税	略	戦	営	経	測	消	略	税	銀	貸	商	金	気	工	業	荒	戦
所	消	測	学	工	学	照	業	総	得	学	工	間	人	利	予	工	貸	戦	戦
略	学	照	費	略	測	消	得	所	経	戦	券	券	課	工	測	業	課	所	景

Reading	Word	Meaning
にんげんこうがく	人間工学	human engineering
かぜい	課税	taxation
しょとくぜい	所得税	income tax
あらり	荒利	gross profit
しょうひぜい	消費税	consumption tax
しょうぎょうぎんこう	商業銀行	commercial bank
けいえいせんりゃく	経営戦略	business strategy
けいきよそく	景気予測	business forecasting
たいしゃくたいしょうひょう	貸借対照表	balance sheet
ぎんこうけん	銀行券	bank note
ぎんこうよきん	銀行預金	bank deposit
そうがく	総額	total amount

経済 Economics 1番目

政	輸	産	株	式	資	式	主	経	金	易	本	金	貿	輸	価	貨	財	輸	政
貿	出	財	幣	入	資	主	本	政	資	入	経	幣	株	輸	株	貨	貿	資	済
幣	幣	入	政	資	株	出	幣	政	出	貿	産	入	貿	株	幣	株	資	式	幣
式	産	政	式	易	幣	財	価	主	式	式	貿	本	済	済	株	入	易	資	貿
式	金	産	貿	本	済	貿	本	貿	式	出	金	出	価	貿	産	財	入	出	株
貨	政	済	幣	財	産	株	貿	本	主	経	産	式	式	経	金	産	幣	易	金
易	済	入	易	金	輸	貨	輸	金	貨	出	政	産	金	産	式	輸	式	本	価
易	資	資	財	金	産	易	産	主	済	金	済	済	式	貨	政	本	経	幣	本
本	政	貨	経	経	主	貨	貨	貨	主	金	易	易	主	済	貿	輸	株	金	財
経	貨	経	貿	輸	本	易	経	済	貿	入	価	式	資	財	貨	輸	本	経	易
出	主	主	産	財	株	財	出	価	産	幣	資	財	入	主	入	本	金	易	財
経	政	経	易	財	幣	出	出	価	財	産	幣	貿	式	入	主	貿	貨	財	経
出	貿	経	価	金	経	易	経	貿	貨	産	株	入	産	貿	経	価	済	出	入
経	株	金	産	金	政	貨	貨	貨	政	易	本	貿	本	主	入	幣	済	入	経
貿	出	入	本	産	貨	金	出	産	経	出	貨	金	貨	本	済	財	産	出	貨

けいざい
経済 economics

ざいせい
財政 finance

しほん
資本 capital

しさん
資産 assets

しきん
資金 funds

ぼうえき
貿易 foreign trade

ゆにゅう
輸入 import

ゆしゅつ
輸出 export

かぶしき
株式 stock

かぶぬし
株主 stockholder

かぶか
株価 stock prices

かへい
貨幣 money

経済 Economics 2番目

利	産	源	費	費	字	子	投	財	投	黒	財	経	潤	産	源	得	倒	黒	産
利	投	字	金	財	資	資	所	子	得	倒	赤	赤	子	回	子	赤	赤	金	潤
赤	倒	費	り	金	回	経	源	経	回	黒	金	源	赤	産	赤	潤	子	回	投
金	字	産	赤	得	産	源	得	得	利	回	得	金	源	産	費	金	投	経	倒
財	金	経	投	回	利	回	源	費	財	費	財	所	経	源	黒	費	財	子	倒
経	字	金	字	財	得	費	費	産	子	金	潤	回	り	金	倒	子	潤	回	字
潤	投	費	回	投	源	字	字	得	回	投	回	投	経	子	倒	投	所	経	資
倒	得	産	潤	産	得	資	得	字	財	子	字	金	子	子	金	黒	経	金	赤
源	金	赤	利	字	金	赤	潤	回	得	回	経	字	得	黒	得	経	資	資	所
資	産	費	り	経	産	回	子	産	経	金	利	字	源	利	利	利	利	源	利
得	源	黒	黒	赤	得	得	黒	源	子	産	字	費	産	黒	投	財	資	回	投
投	回	黒	利	財	財	投	源	り	黒	子	字	字	子	源	回	赤	回	倒	り
子	産	り	所	倒	得	赤	潤	資	利	得	潤	回	り	回	費	回	回	費	源
得	金	り	倒	子	金	投	回	所	回	字	費	経	り	潤	産	費	費	字	資
り	子	潤	金	所	赤	経	子	所	経	子	投	利	黒	所	資	源	得	黒	財

しょとく
所得 income

きんり
金利 interest

りし
利子 interest

りじゅん
利潤 profit

りまわり
利回り yield

とうし
投資 investment

あかじ
赤字 in the red, deficit

くろじ
黒字 in the black, surplus

けいひ
経費 expense

ざいさん
財産 property

とうさん
倒産 bankruptcy

ざいげん
財源 financial resources

経済 Economics 3番目

販	販	計	外	統	営	営	需	統	需	事	需	売	制	制	限	需	限	外	営
計	制	卸	販	者	内	限	会	需	販	小	営	商	営	小	業	卸	業	需	計
制	卸	小	統	限	貨	事	限	外	者	貨	会	売	需	内	会	制	業	卸	制
計	卸	者	限	統	計	販	外	統	卸	内	売	事	売	統	業	会	外	卸	貨
制	需	卸	商	事	事	計	商	卸	業	統	貨	貨	計	外	限	卸	者	者	計
会	業	営	制	制	外	卸	需	卸	会	販	限	会	販	統	限	者	者	制	貨
卸	外	需	売	営	外	卸	営	限	者	需	貨	業	内	商	外	外	販	需	卸
統	統	計	者	計	需	営	統	貨	需	統	計	内	限	内	事	卸	業	需	貨
卸	限	卸	外	商	者	売	商	者	売	限	事	統	商	計	卸	限	計	業	統
小	事	売	外	計	商	営	小	営	事	内	貨	商	統	者	商	者	外	小	貨
事	統	会	業	小	販	営	限	貨	販	卸	者	小	事	小	販	内	制	会	需
限	小	内	業	統	卸	内	卸	者	貨	者	計	卸	需	外	営	卸	卸	者	事
外	会	販	事	会	営	貨	業	卸	小	需	制	外	需	商	営	限	者	営	外
事	貨	限	事	制	卸	会	統	業	貨	業	業	卸	小	計	事	売	事	会	需
営	貨	需	商	商	貨	卸	外	商	小	内	制	制	統	商	者	販	者	制	営

かいけい
会計 accounting

じぎょう
事業 enterprise

えいぎょう
営業 business

ぎょうしゃ
業者 dealer

しょうぎょう
商業 commerce, trade

せいげん
制限 restriction

とうせい
統制 regulation

はんばい
販売 sale, selling

こうり
小売 retail

おろしうり
卸売 wholesale

がいか
外貨 foreign currency

ないじゅ
内需 domestic demand

経済 Economics 4番目

納 買 格 荷 益 価 出 通 通 原 荷 貨 物 入 出 貨 支 益 通 原
納 通 格 益 価 価 益 原 収 入 荷 通 物 通 原 格 納 通 荷 買
買 納 納 納 荷 価 納 物 格 荷 入 物 益 格 格 貨 収 収 通 入
格 納 貨 益 荷 通 荷 物 通 荷 原 荷 物 納 買 荷 原 物 荷 価
物 荷 収 価 納 原 買 納 原 原 納 支 納 納 納 格 荷 原 買 価
原 納 貨 荷 益 支 物 格 格 格 荷 価 納 収 通 益 通 支 納 益
益 貨 貨 価 通 益 支 益 納 収 原 収 荷 荷 通 価 物 荷 格 通
納 格 買 入 買 格 物 支 支 荷 物 収 通 原 買 支 通 益 通 益
益 貨 原 貨 物 収 貨 貨 貨 格 収 荷 格 物 貨 納 荷 支 価 益
支 原 出 出 格 出 価 入 貨 格 納 通 益 荷 荷 収 格 貨 貨 格
納 原 収 物 入 入 益 買 入 買 買 買 価 貨 格 格 格 出 荷 物
格 通 出 格 支 入 格 益 価 買 買 荷 益 荷 支 格 出 通 収 貨
出 益 納 益 買 支 益 納 貨 入 荷 原 物 買 通 物 益 通 格 収
益 格 格 荷 納 買 買 買 支 買 貨 貨 支 入 支 荷 通 納 原 出
荷 納 収 物 通 益 荷 通 通 益 原 物 荷 原 納 通 荷 支 物 支

つうか	通貨	currency
すいとう	出納	revenue and expenditure
ししゅつ	支出	expenditures
しゅっか	出荷	shipping
しゅうし	収支	income and expenditure
しゅうにゅう	収入	income
しゅうえき	収益	profit
ばいしゅう	買収	buy up, purchase, bribe
のうにゅう	納入	delivery of goods
かかく	価格	price
げんか	原価	manufacturing cost
ぶっか	物価	price of common goods

経済 Economics 5番目

貿	融	高	金	貿	貿	高	貯	額	貯	易	高	赤	安	貯	額	貿	易	値	字
代	貯	易	底	預	高	底	易	字	預	代	字	現	貿	底	貿	易	赤	字	字
終	代	安	赤	字	額	安	赤	値	額	安	貯	安	黒	黒	終	易	高	預	黒
預	赤	赤	貿	額	貿	融	融	貿	底	貿	底	高	金	易	貯	代	黒	字	黒
赤	黒	値	字	貯	融	字	預	安	安	額	底	貿	現	貿	字	高	底	易	終
額	終	黒	値	赤	貿	易	底	代	易	高	代	易	終	易	高	黒	安	代	黒
字	融	預	貯	現	安	金	字	現	代	貯	融	現	融	高	預	融	易	安	融
貿	易	額	現	高	貿	金	底	底	貯	現	現	易	終	底	終	高	代	貿	終
現	貿	預	字	現	易	字	赤	預	代	終	高	底	底	金	安	易	貯	終	金
預	値	易	値	赤	終	易	易	底	現	終	額	代	底	貯	高	字	額	赤	金
高	易	貿	字	額	赤	赤	字	赤	底	字	終	貯	代	現	高	融	字	赤	代
高	黒	金	融	字	現	貿	終	貯	赤	黒	高	易	字	赤	易	現	黒	黒	易
現	底	終	終	終	黒	安	終	赤	安	底	額	金	底	融	貯	代	融	額	底
赤	安	底	融	底	代	終	安	字	貯	代	安	赤	貿	貯	値	易	安	融	安
代	字	代	終	貯	赤	黒	底	安	額	貯	額	終	字	安	代	赤	赤	易	終

そこね
底値 — bottom price

おわりね
終値 — closing price

たかね
高値 — high price

やすね
安値 — low price

ぼうえきくろじ
貿易黒字 — trade surplus

ぼうえきあかじ
貿易赤字 — trade deficit

げんきん
現金 — cash

きんがく
金額 — sum of money

ちょきん
貯金 — savings

よきん
預金 — deposit

だいきん
代金 — fee

きんゆう
金融 — monetary circulation

経済 Economics 6番目

<table>
<tr><td>支</td><td>管</td><td>融</td><td>費</td><td>社</td><td>市</td><td>外</td><td>管</td><td>市</td><td>市</td><td>管</td><td>場</td><td>場</td><td>外</td><td>市</td><td>高</td><td>栄</td><td>用</td><td>円</td><td>管</td></tr>
<tr><td>栄</td><td>用</td><td>融</td><td>市</td><td>円</td><td>融</td><td>外</td><td>用</td><td>社</td><td>資</td><td>支</td><td>繁</td><td>流</td><td>外</td><td>商</td><td>通</td><td>外</td><td>理</td><td>管</td><td>社</td></tr>
<tr><td>安</td><td>用</td><td>理</td><td>繁</td><td>高</td><td>費</td><td>安</td><td>用</td><td>管</td><td>流</td><td>管</td><td>支</td><td>繁</td><td>場</td><td>高</td><td>場</td><td>円</td><td>用</td><td>市</td><td>費</td></tr>
<tr><td>場</td><td>通</td><td>本</td><td>支</td><td>安</td><td>資</td><td>安</td><td>支</td><td>栄</td><td>資</td><td>安</td><td>外</td><td>商</td><td>場</td><td>管</td><td>本</td><td>場</td><td>流</td><td>融</td><td>安</td></tr>
<tr><td>外</td><td>費</td><td>市</td><td>通</td><td>費</td><td>費</td><td>支</td><td>支</td><td>資</td><td>通</td><td>用</td><td>通</td><td>理</td><td>本</td><td>市</td><td>通</td><td>繁</td><td>用</td><td>融</td><td>流</td></tr>
<tr><td>円</td><td>融</td><td>外</td><td>繁</td><td>場</td><td>栄</td><td>円</td><td>安</td><td>場</td><td>商</td><td>栄</td><td>商</td><td>理</td><td>流</td><td>商</td><td>用</td><td>社</td><td>円</td><td>栄</td><td>場</td></tr>
<tr><td>理</td><td>本</td><td>外</td><td>社</td><td>理</td><td>商</td><td>融</td><td>用</td><td>用</td><td>用</td><td>通</td><td>資</td><td>流</td><td>融</td><td>流</td><td>資</td><td>場</td><td>管</td><td>費</td><td>社</td></tr>
<tr><td>理</td><td>理</td><td>外</td><td>通</td><td>流</td><td>本</td><td>繁</td><td>管</td><td>支</td><td>場</td><td>円</td><td>場</td><td>管</td><td>流</td><td>円</td><td>社</td><td>流</td><td>管</td><td>栄</td><td>安</td></tr>
<tr><td>外</td><td>市</td><td>高</td><td>管</td><td>本</td><td>場</td><td>用</td><td>高</td><td>安</td><td>理</td><td>資</td><td>繁</td><td>安</td><td>栄</td><td>場</td><td>費</td><td>費</td><td>繁</td><td>市</td><td>通</td></tr>
<tr><td>社</td><td>商</td><td>安</td><td>本</td><td>外</td><td>安</td><td>管</td><td>外</td><td>商</td><td>支</td><td>通</td><td>支</td><td>安</td><td>通</td><td>商</td><td>高</td><td>繁</td><td>支</td><td>外</td><td>円</td></tr>
<tr><td>資</td><td>資</td><td>費</td><td>安</td><td>市</td><td>費</td><td>外</td><td>外</td><td>円</td><td>支</td><td>栄</td><td>資</td><td>安</td><td>資</td><td>高</td><td>管</td><td>融</td><td>安</td><td>社</td><td>栄</td></tr>
<tr><td>通</td><td>本</td><td>商</td><td>外</td><td>安</td><td>流</td><td>安</td><td>流</td><td>管</td><td>商</td><td>商</td><td>支</td><td>支</td><td>通</td><td>商</td><td>融</td><td>場</td><td>繁</td><td>安</td><td>安</td></tr>
<tr><td>商</td><td>外</td><td>費</td><td>資</td><td>流</td><td>本</td><td>社</td><td>安</td><td>流</td><td>高</td><td>通</td><td>支</td><td>商</td><td>繁</td><td>管</td><td>資</td><td>理</td><td>繁</td><td>高</td><td>融</td></tr>
<tr><td>円</td><td>本</td><td>安</td><td>支</td><td>流</td><td>高</td><td>資</td><td>費</td><td>流</td><td>資</td><td>安</td><td>費</td><td>用</td><td>円</td><td>費</td><td>高</td><td>商</td><td>理</td><td>理</td><td>商</td></tr>
<tr><td>円</td><td>通</td><td>商</td><td>費</td><td>繁</td><td>社</td><td>流</td><td>資</td><td>流</td><td>理</td><td>流</td><td>支</td><td>外</td><td>場</td><td>本</td><td>資</td><td>流</td><td>用</td><td>市</td><td>支</td></tr>
</table>

ほんしゃ
本社 head office

ししゃ
支社 branch office

しょうしゃ
商社 trading company

ひよう
費用 expense

はんえい
繁栄 prosperity

えんやす
円安 low yen exchange rate

えんだか
円高 high yen exchange rate

りゅうつう
流通 distribution

かんり
管理 management

いちば
市場 economic market

ゆうし
融資 financing

がいし
外資 foreign capital

経済 Economics 7番目

買	投	銀	沈	銀	手	手	銀	小	復	家	都	算	買	家	沈	市	切	資	手
回	場	市	手	売	滞	消	都	算	商	都	家	動	変	商	切	場	滞	銀	通
動	都	費	市	回	投	資	行	都	沈	算	動	景	都	沈	商	銀	都	手	商
小	景	回	算	投	売	銀	銀	売	気	滞	動	気	回	算	行	変	気	買	変
気	回	市	投	費	市	景	場	滞	投	滞	銀	回	滞	沈	市	市	行	気	通
算	行	小	売	都	費	行	気	滞	行	気	動	復	場	商	市	売	場	回	動
場	切	銀	変	手	市	資	滞	変	費	都	買	費	変	回	切	市	商	行	算
手	予	小	景	商	費	景	家	市	動	算	家	予	銀	投	手	消	行	売	買
行	行	行	小	回	消	商	商	行	買	滞	消	消	通	買	動	沈	銀	通	切
回	商	銀	景	売	商	沈	小	費	沈	都	資	通	市	売	費	市	沈	予	売
算	市	気	小	変	投	都	通	資	回	行	予	動	滞	算	費	沈	市	復	動
算	沈	買	銀	小	投	変	予	算	復	景	場	景	資	家	家	手	都	家	算
滞	都	家	消	家	手	費	商	気	変	通	資	買	費	通	気	手	投	投	小
切	都	算	資	変	沈	動	切	小	切	回	家	売	売	費	沈	沈	消	予	銀
行	小	投	算	手	買	行	売	投	銀	滞	銀	算	場	気	売	家	消	消	切

よさん
予算 budget

しょうひ
消費 consumption

かいてしじょう
買手市場 buyers' market

うりてしじょう
売手市場 sellers' market

けいき
景気 market conditions

けいきへんどう
景気変動 market fluctuations

けいきちんたい
景気沈滞 economic recession

けいきかいふく
景気回復 economic recovery

つうしょう
通商 trade and commerce

としぎんこう
都市銀行 city bank

とうしか
投資家 investor

こぎって
小切手 check

経済 Economics 8番目

相 外 国 為 替 活 済 長 貨 向 品 行 国 通 外 国 産 貨 費 済
長 行 長 長 券 外 証 為 取 産 不 費 市 活 通 産 動 貨 産 際
済 消 景 景 外 証 景 品 国 動 相 活 行 証 経 済 動 向 場 不
外 動 者 不 国 品 費 券 産 場 貨 外 経 経 不 景 気 産 景 景
済 済 品 活 券 経 気 市 品 向 場 貨 消 消 不 向 取 場 場 経
生 費 場 場 経 景 活 証 行 済 引 向 際 経 費 気 替 市 貨 商
商 貨 貨 通 為 外 券 外 証 際 不 景 経 相 証 者 出 取 輸 産
際 者 品 不 相 貨 産 為 費 生 貨 輸 輸 活 券 輸 行 不 貨 活
経 取 景 景 場 通 生 活 不 行 証 経 出 場 向 成 活 動 産 費
動 証 引 外 商 際 市 国 通 券 不 為 済 外 成 景 為 市 成 活
向 者 商 動 市 国 者 産 取 場 取 費 品 成 品 動 国 生 済 生
消 者 動 景 相 不 券 引 長 商 場 出 長 向 長 替 者 品 出 品
産 産 出 成 気 引 産 国 為 際 品 者 相 経 輸 為 外 貨 気 引
品 際 行 済 相 券 為 為 替 相 場 動 際 際 相 貨 商 為 成 証
為 出 済 為 活 活 成 際 活 場 証 済 景 経 生 生 券 輸 不 品

しょうけんとりひき
証券取引 — stock exchange

ふどうさん
不動産 — real estate

せいかつひ
生活費 — cost of living

けいざいどうこう
経済動向 — economic trend

かわせそうば
為替相場 — exchange rate

ふけいき
不景気 — recession

こくさいつうか
国際通貨 — international currency

がいこくかわせ
外国為替 — foreign exchange

ゆしゅつしじょう
輸出市場 — export market

けいざいせいちょう
経済成長 — economic growth

しょうひしゃこうどう
消費者行動 — consumer behavior

しょうひん
商品 — commodities

政治 Politics 1番目

<table>
<tr><td>与</td><td>府</td><td>界</td><td>左</td><td>策</td><td>党</td><td>派</td><td>国</td><td>府</td><td>治</td><td>閥</td><td>治</td><td>策</td><td>家</td><td>府</td><td>与</td><td>治</td><td>治</td><td>与</td><td>与</td></tr>
<tr><td>左</td><td>界</td><td>国</td><td>治</td><td>左</td><td>家</td><td>派</td><td>府</td><td>閥</td><td>右</td><td>国</td><td>府</td><td>派</td><td>与</td><td>策</td><td>派</td><td>界</td><td>家</td><td>政</td><td>民</td></tr>
<tr><td>治</td><td>派</td><td>与</td><td>右</td><td>左</td><td>家</td><td>党</td><td>治</td><td>府</td><td>左</td><td>左</td><td>界</td><td>民</td><td>派</td><td>国</td><td>派</td><td>策</td><td>左</td><td>左</td><td>左</td></tr>
<tr><td>界</td><td>界</td><td>野</td><td>左</td><td>民</td><td>治</td><td>与</td><td>右</td><td>野</td><td>家</td><td>野</td><td>民</td><td>与</td><td>派</td><td>家</td><td>野</td><td>府</td><td>策</td><td>国</td><td>策</td></tr>
<tr><td>界</td><td>与</td><td>与</td><td>政</td><td>右</td><td>右</td><td>策</td><td>右</td><td>治</td><td>策</td><td>治</td><td>閥</td><td>府</td><td>民</td><td>野</td><td>派</td><td>策</td><td>国</td><td>界</td><td>派</td></tr>
<tr><td>家</td><td>界</td><td>国</td><td>閥</td><td>党</td><td>民</td><td>野</td><td>派</td><td>与</td><td>与</td><td>与</td><td>家</td><td>与</td><td>左</td><td>野</td><td>民</td><td>派</td><td>策</td><td>界</td><td>野</td></tr>
<tr><td>党</td><td>左</td><td>府</td><td>府</td><td>家</td><td>治</td><td>界</td><td>治</td><td>野</td><td>策</td><td>政</td><td>民</td><td>民</td><td>政</td><td>界</td><td>民</td><td>界</td><td>党</td><td>国</td><td>野</td></tr>
<tr><td>党</td><td>閥</td><td>治</td><td>与</td><td>治</td><td>党</td><td>左</td><td>府</td><td>派</td><td>与</td><td>民</td><td>派</td><td>政</td><td>民</td><td>左</td><td>府</td><td>策</td><td>閥</td><td>府</td><td>野</td></tr>
<tr><td>左</td><td>治</td><td>府</td><td>右</td><td>閥</td><td>治</td><td>策</td><td>与</td><td>策</td><td>界</td><td>国</td><td>与</td><td>野</td><td>右</td><td>右</td><td>治</td><td>治</td><td>家</td><td>右</td><td>国</td></tr>
<tr><td>右</td><td>左</td><td>策</td><td>界</td><td>界</td><td>与</td><td>野</td><td>与</td><td>派</td><td>国</td><td>派</td><td>派</td><td>政</td><td>与</td><td>右</td><td>府</td><td>治</td><td>与</td><td>野</td><td>与</td></tr>
<tr><td>家</td><td>治</td><td>党</td><td>党</td><td>左</td><td>家</td><td>府</td><td>策</td><td>国</td><td>政</td><td>国</td><td>与</td><td>派</td><td>民</td><td>界</td><td>民</td><td>治</td><td>国</td><td>治</td><td>府</td></tr>
<tr><td>左</td><td>民</td><td>治</td><td>民</td><td>界</td><td>党</td><td>派</td><td>策</td><td>野</td><td>野</td><td>府</td><td>策</td><td>民</td><td>派</td><td>策</td><td>右</td><td>界</td><td>治</td><td>閥</td><td>治</td></tr>
<tr><td>与</td><td>閥</td><td>策</td><td>派</td><td>家</td><td>治</td><td>民</td><td>家</td><td>策</td><td>右</td><td>左</td><td>党</td><td>治</td><td>家</td><td>界</td><td>民</td><td>左</td><td>野</td><td>党</td><td>党</td></tr>
<tr><td>右</td><td>民</td><td>閥</td><td>家</td><td>野</td><td>界</td><td>野</td><td>民</td><td>治</td><td>閥</td><td>国</td><td>界</td><td>家</td><td>治</td><td>野</td><td>閥</td><td>治</td><td>界</td><td>家</td><td>府</td></tr>
<tr><td>党</td><td>閥</td><td>家</td><td>閥</td><td>民</td><td>左</td><td>策</td><td>界</td><td>閥</td><td>与</td><td>国</td><td>与</td><td>民</td><td>派</td><td>民</td><td>策</td><td>野</td><td>野</td><td>派</td><td>派</td></tr>
</table>

せいじ
政治 politics

せいさく
政策 policy

せいかい
政界 political circles

せいとう
政党 political party

せいふ
政府 government

こっか
国家 state

こくみん
国民 nation

さは
左派 left wing

うは
右派 right wing

よとう
与党 ruling party

やとう
野党 opposition party

はばつ
派閥 faction

政治 Politics 2番目

主 立 主 者 補 修 立 改 補 主 分 法 補 者 分 法 行 修 修 法
者 補 政 立 政 行 有 政 行 法 正 主 行 棄 立 政 行 司 行 有
権 補 主 主 法 司 分 有 主 三 司 正 正 分 司 権 改 権 修 法
法 者 補 棄 法 修 棄 分 行 棄 法 主 行 有 行 改 権 法 修 司
政 法 修 棄 改 立 改 権 改 法 分 行 正 有 正 者 修 行 棄 立
法 政 者 法 三 者 行 分 補 立 者 立 正 行 司 法 行 改 主 補
主 改 分 分 三 正 法 改 三 改 法 分 権 立 法 主 修 有 分 司
法 行 補 分 有 三 修 改 行 立 者 権 法 補 者 改 者 政 者 司
改 主 司 権 行 政 三 政 法 政 立 法 行 権 司 棄 行 司 修 補
主 主 者 行 修 補 有 者 行 有 法 法 権 立 法 立 法 分 権 分
分 行 改 有 有 行 三 権 分 立 修 改 修 司 三 法 有 修 分 権
補 補 三 者 分 分 行 改 分 権 司 改 司 立 権 補 司 者 有 分
権 司 行 政 権 法 三 政 司 法 立 権 分 改 司 司 改 改 主 行
法 修 法 修 補 法 棄 立 行 司 司 主 法 主 者 立 法 者 主 三
三 三 有 三 棄 主 政 棄 行 権 有 法 正 三 法 修 補 正 有 法

ほせい	補正	correction
かいせい	改正	revision
しゅうせい	修正	amendment
さんけん	三権	three powers (of government)
しゅけん	主権	supremacy
ゆうけんしゃ	有権者	voter
せいけん	政権	political power
さんけんぶりつ	三権分立	separation of powers
りっぽうけん	立法権	legislative power
ぎょうせいけん	行政権	administrative power
しほうけん	司法権	judicial power
きけん	棄権	abstain from voting

政治 Politics 3番目

政 会 資 長 席 参 政 参 政 務 治 金 会 衆 政 院 立 議 国 衆
長 院 行 長 治 法 行 法 長 立 員 員 法 法 金 席 立 院 行 長
会 参 員 金 治 長 会 国 資 衆 参 員 務 議 治 長 員 務 院 院
政 立 憲 席 衆 資 立 金 金 議 治 法 院 院 法 員 院 法 衆 政
衆 長 席 務 院 資 院 金 院 立 政 院 法 院 政 衆 務 金 参 治
員 席 金 員 員 行 資 治 議 憲 資 参 議 参 参 会 席 員 法 資
立 治 務 金 立 席 資 国 資 務 会 衆 憲 議 務 席 憲 資 長 金
長 務 員 政 憲 金 長 金 席 立 務 金 治 参 立 資 席 憲 政 政
憲 長 治 資 会 立 憲 衆 議 資 憲 員 会 長 治 院 治 衆 会 金
参 院 席 資 員 院 政 国 衆 国 国 参 衆 法 席 長 席 政 長 憲
院 院 席 行 議 務 参 員 政 議 衆 席 参 政 参 衆 法 憲 憲 資
議 行 法 法 法 行 院 金 院 資 行 会 政 立 法 議 行 国 院 立
資 法 会 員 資 金 会 憲 議 治 議 資 政 院 金 議 憲 行 資 院
議 院 行 法 国 金 参 政 憲 金 法 治 会 政 憲 金 参 院 法 参
立 参 資 治 政 務 会 員 務 長 議 院 治 立 参 長 務 法 資 務

こっかい
国会 the Diet

ぎいん
議員 Diet member

ぎかい
議会 parliament

しゅうぎいん
衆議院 House of Representatives

さんぎいん
参議院 House of Councillors

ぎちょう
議長 chairman

ぎせき
議席 the floor

りっぽう
立法 legislation

けんぽう
憲法 constitution

ぎょうせい
行政 administration

せいじしきん
政治資金 political funds

こくむ
国務 state affairs

政治 Politics 4番目

組	議	臣	閣	臣	組	臣	開	内	休	臣	僚	大	程	相	法	休	大	開	議
臣	内	案	相	程	閉	僚	上	上	首	臣	組	内	法	大	程	閉	内	首	首
首	案	僚	内	内	僚	閉	上	僚	臣	休	相	相	内	内	議	休	議	会	首
閣	閉	開	上	閉	内	議	開	休	休	組	臣	程	休	組	僚	僚	首	議	組
首	案	首	案	上	相	内	程	法	議	閉	開	案	程	首	会	僚	開	休	休
案	組	組	閣	大	法	法	僚	相	臣	僚	首	会	臣	臣	上	上	開	臣	臣
内	法	会	程	相	会	大	相	臣	相	開	組	臣	案	組	案	組	上	臣	案
法	閉	法	閣	閣	上	会	相	臣	上	相	案	会	程	案	相	内	臣	相	開
開	閉	閉	開	相	僚	法	上	案	案	上	閣	会	閣	臣	開	臣	僚	休	閣
僚	僚	臣	開	僚	相	大	相	会	首	閉	大	首	案	相	相	内	組	程	大
開	内	開	案	案	閉	内	議	程	程	案	開	内	会	閣	相	内	大	首	休
大	開	程	閉	相	大	大	相	閣	臣	程	閣	法	大	案	開	閉	首	僚	案
臣	案	程	僚	上	組	僚	会	上	閣	会	首	閣	会	案	閣	上	相	組	首
開	組	案	会	休	内	案	大	相	法	程	会	会	閣	大	程	閉	大	上	会
首	閉	案	相	程	組	会	程	法	会	組	大	閣	相	開	議	開	内	上	組

ないかく
内閣 cabinet

かくりょう
閣僚 cabinet member

かくぎ
閣議 cabinet meeting

だいじん
大臣 cabinet minister

そかく
組閣 forming a cabinet

しゅしょう
首相 prime minister

かいかい
開会 opening session

へいかい
閉会 closing session

きゅうかい
休会 recess

ほうあん
法案 legislative bill

ぎあん
議案 legislative bill

じょうてい
上程 presenting a bill

政治 Politics 5番目

約	挙	協	採	政	政	候	当	選	選	公	開	採	約	政	選	政	補	否	公
否	政	候	候	政	成	政	約	協	成	採	政	補	当	補	政	賛	否	局	成
否	落	賛	挙	公	選	補	挙	協	補	票	公	策	採	約	選	公	決	定	落
票	定	政	協	票	公	採	決	開	票	賛	成	投	局	選	候	成	投	開	開
候	政	否	補	選	否	補	策	選	賛	定	決	策	公	投	落	票	補	開	策
選	策	選	投	賛	策	選	決	投	政	定	協	策	政	賛	落	局	当	補	投
賛	決	補	政	採	票	補	開	約	採	政	協	決	開	候	否	票	否	策	定
票	補	票	策	賛	補	約	策	策	候	落	落	開	協	挙	定	選	選	挙	否
票	否	公	候	当	決	挙	政	賛	決	落	局	挙	公	賛	投	策	公	採	票
策	策	局	策	候	成	候	候	落	決	定	挙	投	候	協	挙	採	否	選	賛
票	定	協	成	政	候	投	協	協	局	当	挙	公	落	約	挙	政	成	公	約
採	局	策	補	策	選	成	投	賛	候	約	当	局	開	成	決	定	公	定	選
定	政	定	投	選	否	約	政	否	補	局	当	定	定	協	選	決	投	否	選
政	投	決	策	賛	投	政	政	政	約	補	補	当	票	否	賛	定	約	成	候
定	策	定	局	候	公	投	否	約	採	当	約	決	定	協	否	採	定	投	採

せんきょ
選挙 — election

とうひょう
投票 — voting

さいけつ
採決 — ballot taking

かいひょう
開票 — ballot counting

とうせん
当選 — winning an election

らくせん
落選 — losing an election

こうほ
候補 — candidate

せいきょく
政局 — political situation

こうやく
公約 — pact

せいさくぎょうてい
政策協定 — policy agreement

さんせい
賛成 — approval

ひけつ
否決 — rejection

政治 Politics 6番目

市	僚	事	庁	役	役	民	次	民	庁	僚	事	所	庁	庁	知	次	民	民	次
区	次	長	庁	区	官	役	長	所	長	庁	僚	市	長	庁	市	僚	事	区	事
庁	事	庁	庁	役	区	知	県	民	所	知	区	庁	知	知	役	事	県	区	次
事	所	所	役	区	県	官	役	区	次	庁	市	市	次	県	県	事	県	市	市
民	官	事	県	県	事	区	市	僚	民	僚	市	役	所	僚	次	県	役	役	庁
知	所	区	区	官	役	次	庁	知	役	県	県	知	区	民	民	僚	僚	次	区
市	官	所	県	知	次	僚	役	民	僚	民	知	県	区	官	所	事	次	事	所
区	官	区	県	区	長	長	民	民	県	区	僚	市	区	所	民	民	民	市	市
民	官	県	官	知	庁	所	長	事	県	役	知	県	県	官	知	役	区	僚	役
長	知	市	知	所	所	長	県	県	事	民	官	市	県	民	県	区	区	事	市
役	次	市	市	官	民	事	県	事	僚	県	僚	役	区	次	役	事	次	役	市
県	庁	僚	知	知	県	次	僚	知	所	市	知	市	区	民	庁	事	市	庁	僚
役	事	区	知	次	知	所	区	県	所	市	官	所	知	官	所	僚	事	市	区
官	役	官	役	庁	区	官	官	役	官	県	事	区	県	所	民	区	市	市	僚
民	役	役	事	次	知	県	民	知	官	県	所	県	民	知	県	役	次	役	次

かんりょう
官僚 bureaucrat

やくしょ
役所 public government office

かんちょう
官庁 government office

じかん
次官 vice-minister

ちょうかん
長官 government secretary

ちじ
知事 governor

しやくしょ
市役所 city office

しちょう
市長 mayor

しみん
市民 citizen

くやくしょ
区役所 ward office

くちょう
区長 head of ward

けんちょう
県庁 prefectural office

政治 Politics 7番目

答	法	勧	説	答	有	有	政	告	地	応	就	質	会	規	政	自	勧	盤	任
法	政	治	連	政	地	地	告	政	国	地	質	法	地	盤	答	連	就	連	有
邦	就	盤	自	勧	規	告	期	勧	政	政	説	法	期	答	演	演	法	演	政
演	政	規	任	演	法	任	地	疑	期	盤	法	説	政	任	令	会	告	質	答
有	盤	期	告	答	辞	令	疑	邦	政	告	演	疑	応	邦	法	邦	応	応	会
自	期	就	告	法	説	治	期	質	国	会	国	応	有	辞	邦	治	疑	法	国
国	任	地	邦	疑	期	疑	説	治	答	勧	規	就	説	国	地	質	応	辞	連
告	法	治	任	会	質	邦	法	法	任	自	応	告	政	法	法	有	質	辞	辞
連	応	期	質	説	説	会	辞	勧	質	政	政	政	答	有	令	質	規	勧	勧
邦	演	就	勧	規	政	政	会	有	政	国	辞	就	政	治	期	治	答	疑	邦
会	法	法	令	疑	疑	答	任	会	地	答	答	国	地	連	盤	邦	辞	勧	応
辞	盤	有	地	質	演	規	会	有	治	告	演	就	告	令	辞	有	応	会	勧
盤	応	連	連	国	国	会	邦	地	辞	法	告	応	有	期	勧	応	就	政	邦
答	就	国	期	連	政	辞	就	国	自	邦	就	疑	任	自	有	勧	疑	国	勧
有	法	答	就	法	令	盤	盤	就	政	演	告	令	会	自	勧	連	期	期	説

ほうき
法規 laws and regulations

しつぎおうとう
質疑応答 questions and answers

せいれい
政令 government ordinance

こくゆう
国有 state ownership

れんぽう
連邦 federal state

じち
自治 self-government

かんこく
勧告 counsel

えんぜつ
演説 speech

じばん
地盤 constituency

しゅうにん
就任 take office

じにん
辞任 resignation

かいき
会期 session

政治 Politics 8番目

封 義 専 裁 独 独 建 建 産 和 保 専 派 社 和 大 派 権 統 裁
領 派 度 社 共 建 義 専 政 派 裁 権 統 権 独 義 社 建 共 会
和 封 反 保 政 制 治 制 封 専 民 流 度 専 反 守 和 裁 派 保
大 義 権 度 建 独 度 治 流 領 派 共 裁 度 権 民 社 治 封 治
民 主 裁 産 義 制 統 専 会 和 守 流 度 制 守 政 制 共 流 保
建 主 権 主 建 専 専 反 大 制 裁 派 主 義 主 守 治 大 度 建
派 民 産 封 権 治 会 独 独 度 独 主 制 派 政 君 政 民 統 和
会 共 守 君 君 封 治 治 裁 政 派 社 和 和 政 産 君 保 共 権
治 独 派 派 産 保 権 政 統 政 主 統 守 和 義 大 領 和 反 大
政 反 守 派 流 領 封 制 民 度 権 権 制 権 領 主 制 制 専 流
制 流 専 独 統 主 社 専 専 君 建 流 政 会 専 専 会 政 社 独
会 権 政 大 守 主 反 流 権 大 裁 封 保 反 専 社 建 社 主 義
主 封 産 会 民 保 専 封 領 領 専 封 裁 和 流 民 共 義 専 領
主 義 義 度 民 治 君 義 社 政 産 産 政 建 派 度 権 独 会 領
度 独 制 建 社 会 保 度 派 民 守 守 義 義 共 政 度 統 治 君

だいとうりょう
大統領 president

みんしゅしゅぎ
民主主義 democracy

きょうわせい
共和制 republicanism

しゃかいしゅぎ
社会主義 socialism

きょうさんしゅぎ
共産主義 communism

どくさいせいけん
独裁政権 dictatorship

くんしゅせい
君主制 monarchism

ほうけんせいど
封建制度 feudalism

せんせいせいじ
専制政治 despotism

しゅりゅうは
主流派 mainstream faction

はんしゅりゅうは
反主流派 anti-mainstream faction

ほしゅ
保守 conservative

政治 Politics 9番目

党	最	言	候	議	等	高	反	援	判	応	宣	立	立	等	言	反	名	演	判
判	演	応	陳	最	名	宣	宣	陳	更	欠	最	議	最	違	最	援	反	裁	反
等	判	援	補	名	裁	裁	欠	演	党	演	決	立	欠	所	議	補	演	演	説
演	最	高	裁	判	所	欠	立	違	党	言	欠	言	所	援	党	高	立	党	宣
高	言	応	立	指	裁	議	判	指	高	裁	等	宣	裁	最	陳	判	裁	補	説
違	援	党	応	応	説	迭	演	等	応	欠	陳	主	名	所	説	高	応	所	高
最	応	候	主	欠	説	迭	演	演	応	反	更	決	更	主	陳	違	判	演	所
援	情	候	応	援	演	説	応	高	高	議	党	援	迭	補	名	演	等	迭	迭
迭	裁	宣	所	補	迭	補	更	高	立	等	宣	欠	最	等	立	欠	最	主	補
情	宣	違	違	欠	反	決	候	候	更	指	迭	説	党	援	判	決	候	迭	判
候	等	判	情	党	立	主	陳	言	説	決	迭	高	等	裁	判	所	情	決	立
援	迭	判	名	欠	等	候	主	更	更	援	情	議	候	応	立	欠	党	補	裁
指	援	議	迭	演	最	宣	補	応	主	指	陳	裁	陳	補	指	高	迭	説	裁
党	陳	候	名	党	迭	裁	応	立	等	欠	判	所	指	違	名	補	陳	言	候
立	応	演	迭	反	欠	演	最	陳	候	等	違	候	反	最	最	補	迭	迭	議

しめい
指名 — nominate

こうてつ
更迭 — reshuffle, dismiss

ほけつ
補欠 — filling a vacancy, substitution

けつぎ
決議 — resolution

ちんじょう
陳情 — petition, appeal

いはん
違反 — violation

りっこうほ
立候補 — candidacy

おうえんえんぜつ
応援演説 — campaign speech

とうしゅ
党主 — political party leader

せんげん
宣言 — declaration

さいこうさいばんしょ
最高裁判所 — Supreme Court

こうとうさいばんしょ
高等裁判所 — High Court

政治 Politics 10番目

設	建	商	建	法	建	蔵	治	働	大	法	運	政	働	法	産	林	輸	労	産
林	外	設	法	労	設	商	厚	部	通	働	大	商	業	建	生	法	働	生	厚
建	生	農	農	産	労	林	郵	蔵	務	治	通	政	治	農	輸	設	外	水	商
生	務	産	部	輸	運	商	建	輸	郵	生	通	働	水	運	厚	外	通	外	建
業	大	治	林	厚	建	政	自	部	法	商	運	業	農	外	運	設	郵	大	外
労	水	省	務	大	自	自	業	省	通	部	通	政	自	厚	水	文	外	蔵	輸
生	林	大	設	労	輸	蔵	厚	通	務	文	文	省	省	産	水	林	農	省	生
農	水	文	文	建	郵	通	商	産	業	省	務	労	政	商	輸	生	水	省	生
通	自	省	省	蔵	治	政	郵	設	建	法	働	法	働	政	運	大	生	農	建
治	生	商	蔵	外	厚	農	省	厚	商	自	労	設	蔵	省	通	輸	通	大	産
厚	政	業	輸	運	外	務	省	農	業	法	労	労	商	蔵	業	水	省	郵	郵
外	省	商	農	林	輸	厚	水	大	労	大	政	建	建	治	商	外	建	建	業
法	商	文	通	務	建	務	大	労	厚	建	林	商	水	政	蔵	自	務	法	業
自	輸	水	治	商	水	治	業	治	業	生	文	自	文	部	省	輸	治	運	省
通	運	輸	自	商	治	業	厚	業	政	外	産	水	建	厚	輸	農	部	省	部

ほうむしょう
法務省 Ministry of Justice

おおくらしょう
大蔵省 Ministry of Finance

もんぶしょう
文部省 Ministry of Education

がいむしょう
外務省 Ministry of Foreign Affairs

うんゆしょう
運輸省 Ministry of Transport

ろうどうしょう
労働省 Ministry of Labor

こうせいしょう
厚生省 Ministry of Health and Welfare

のうりんすいさんしょう
農林水産省 Ministry of Agriculture, Forestry, and Fisheries

つうしょうさんぎょうしょう
通商産業省 Ministry of International Trade and Industry

ゆうせいしょう
郵政省 Ministry of Posts and Telecommunications

けんせつしょう
建設省 Ministry of Construction

じちしょう
自治省 Ministry of Home Affairs

政治 Politics 11番目

共	産	自	所	さ	共	員	会	議	党	革	本	共	由	所	由	本	自	国	自
進	が	所	党	主	本	革	民	進	所	代	自	民	党	主	自	新	議	無	国
き	自	き	共	議	共	議	本	け	新	本	無	所	属	が	革	社	議	議	主
き	士	自	け	け	主	議	主	が	進	進	産	自	き	属	代	員	議	会	国
自	会	主	日	新	さ	無	け	き	民	民	士	会	共	属	党	革	無	所	が
自	本	党	共	由	本	会	国	さ	け	さ	本	由	さ	新	共	進	属	さ	属
属	き	員	士	主	け	党	本	党	き	会	共	党	新	所	け	由	新	員	国
産	社	さ	産	民	所	員	所	新	け	進	け	社	産	進	自	き	が	新	民
無	新	国	属	民	社	け	由	由	本	国	士	党	所	主	国	自	党	社	属
本	所	所	革	党	主	民	由	自	員	き	由	進	議	本	自	産	き	社	所
士	産	産	会	代	産	革	日	由	国	き	新	が	が	日	社	産	民	会	国
由	け	士	進	代	さ	議	産	日	革	士	本	新	さ	本	属	党	員	け	き
党	主	民	さ	産	産	代	共	党	き	会	が	無	産	共	新	員	進	本	議
士	議	代	無	本	所	由	革	属	国	自	由	由	革	産	き	産	党	国	党
が	主	革	国	主	新	社	社	会	民	主	党	国	産	党	社	日	さ	日	会

しゃかいみんしゅとう
社会民主党 — Social Democratic Party

しゃみんとう
社民党 — Social Democratic Party

みんしゅとう
民主党 — Democratic Party

しんとうさきがけ
新党さきがけ — New Party Sakigake

しんしんとう
新進党 — New Frontier Party

にほんきょうさんとう
日本共産党 — Japan Communist Party

じゆうみんしゅとう
自由民主党 — Liberal-Democratic Party

じみんとう
自民党 — Liberal-Democratic Party

むしょぞく
無所属 — Independent

かくしん
革新 — reform, radical

こっかいぎいん
国会議員 — Diet member

だいぎし
代議士 — Representative

外交 Diplomacy 1番目

渉 係 国 協 条 際 親 同 係 国 同 流 諸 交 条 親 渉 関 渉 係
係 外 外 盟 交 諸 流 係 協 諸 流 両 渉 定 条 関 約 同 国 流
係 盟 諸 親 定 際 外 係 際 約 定 約 係 定 親 協 係 国 流 国
交 盟 外 流 際 関 約 関 流 親 係 同 親 国 条 渉 両 渉 盟 善
係 親 関 流 同 際 係 盟 定 渉 親 交 定 際 流 流 約 渉 関 流
善 同 関 関 両 渉 盟 関 関 条 関 約 流 係 外 盟 関 善 協 諸
定 約 外 両 約 渉 渉 際 際 親 定 流 係 外 両 協 交 両 善 渉
条 善 係 同 渉 同 外 定 定 国 盟 係 両 条 協 親 際 交 定 国
盟 盟 約 定 善 渉 約 交 関 渉 約 外 関 外 条 両 関 両 親 約
流 諸 交 両 外 諸 善 約 定 関 盟 係 同 渉 同 両 係 際 同 関
約 諸 協 同 流 定 盟 定 渉 渉 係 定 渉 渉 渉 係 条 際 同 国
盟 盟 交 協 関 際 際 係 関 約 盟 渉 善 渉 定 善 善 両 盟 定
定 盟 両 関 際 両 流 際 諸 係 定 国 約 関 外 協 諸 約 諸 係
両 親 親 協 係 流 約 渉 同 関 親 係 同 約 関 約 交 約 交 係
流 外 条 国 流 際 盟 協 両 協 条 諸 親 外 約 両 善 約 国 親

こくさい
国際 international

こくさいかんけい
国際関係 international relations

がいこう
外交 diplomacy

こっこう
国交 diplomatic relations

どうめい
同盟 alliance

じょうやく
条約 treaty

きょうてい
協定 agreement

こうしょう
交渉 negotiation

こうりゅう
交流 exchange

しんぜん
親善 friendship

しょこく
諸国 various countries

りょうこく
両国 both countries

外交 Diplomacy 2番目

好 賓 表 盟 代 連 加 表 衝 衝 好 友 友 好 友 印 流 好 賓 折
首 交 脳 脳 印 印 力 印 妥 力 協 首 印 交 外 交 折 衝 外 外
交 調 際 印 国 好 印 交 友 好 衝 首 衝 好 盟 脳 協 合 交 合
国 連 協 交 印 流 好 衝 友 盟 印 連 表 賓 調 脳 力 国 力 力
盟 代 首 賓 交 表 表 表 印 連 調 協 力 際 交 賓 衝 印 妥 折
合 表 加 友 表 妥 首 協 力 交 加 連 調 賓 加 表 交 国 流 好
合 衝 協 力 折 連 流 際 国 際 調 妥 首 調 流 印 脳 際 交 加
国 首 賓 妥 代 盟 力 国 際 妥 脳 表 衝 妥 好 交 際 際 流 妥
調 折 交 際 妥 力 国 流 好 連 力 流 外 友 流 力 表 流 印 首
協 合 流 友 衝 折 首 外 国 友 加 加 協 表 妥 合 折 妥 盟 国
代 衝 際 連 印 友 協 国 妥 衝 首 衝 協 外 友 調 首 表 際 妥
際 外 好 印 表 際 脳 交 代 衝 連 国 外 友 衝 脳 加 協 折 友
表 妥 力 好 盟 協 賓 好 力 国 友 賓 連 合 代 脳 力 協 友 協
印 賓 首 首 外 盟 外 外 調 加 協 際 調 調 際 盟 加 外 流 首
妥 外 協 交 表 好 国 調 友 力 交 首 力 国 好 表 流 交 際 国

しゅのう
首脳 heads of government

れんごう
連合 union

ゆうこうこく
友好国 friendly nations

かめい
加盟 joining an alliance

ちょういん
調印 signing a treaty

せっしょう
折衝 negotiation

だきょう
妥協 compromise

だいひょう
代表 representative

こくひん
国賓 state guest

こくさいきょうりょく
国際協力 international cooperation

こくさいこうりゅう
国際交流 international exchange

がいこうせっしょう
外交折衝 diplomatic negotiations

外交 Diplomacy 3番目

緊	権	立	債	紛	張	諸	査	援	州	欧	査	国	連	合	張	緊	西	東	側
債	州	境	欧	東	側	東	緊	争	国	権	西	外	紛	権	欧	務	張	証	欧
争	難	欧	査	海	争	査	立	助	外	民	援	民	務	国	債	務	張	連	紛
諸	務	難	債	中	紛	張	国	国	権	債	東	難	側	立	務	債	紛	民	中
連	権	外	紛	務	州	合	援	権	国	務	側	立	外	援	務	債	民	民	欧
国	中	諸	権	証	連	務	連	州	助	緊	中	欧	証	務	緊	海	側	側	外
助	緊	証	欧	合	外	紛	合	州	張	査	争	海	緊	東	外	海	境	民	援
援	難	緊	外	難	援	争	証	外	欧	債	争	債	張	張	証	欧	側	西	中
側	張	西	東	証	緊	務	民	権	東	西	境	債	境	連	緊	西	連	側	東
争	緊	境	紛	欧	海	紛	債	張	国	援	州	債	務	外	証	東	争	諸	証
立	民	外	債	証	連	州	諸	諸	証	側	争	諸	助	援	外	海	査	国	張
債	境	務	紛	援	権	査	連	査	西	西	民	外	務	紛	欧	連	国	難	証
諸	側	張	外	国	合	権	州	争	緊	民	張	国	境	紛	争	欧	西	援	緊
助	張	境	民	境	張	東	合	援	援	証	民	東	立	争	側	争	張	中	側
紛	張	張	連	債	連	権	外	証	連	中	緊	査	援	権	東	助	証	証	助

なんみん
難民 refugee

こっきょう
国境 border

こっきょうふんそう
国境紛争 border dispute

おうしゅうれんごう
欧州連合 The European Union

ちゅうりつ
中立 neutrality

えんじょ
援助 aid

かいがいえんじょ
海外援助 overseas aid

さしょう
査証 visa

にしがわしょこく
西側諸国 Western countries

とうざいきんちょう
東西緊張 East-West tensions

さいけんこく
債権国 creditor nation

さいむこく
債務国 debtor nation

外交 Diplomacy 4番目

問	締	放	界	戦	結	渉	償	裁	賠	干	結	制	密	賠	不	追	締	報	裁
国	北	障	償	権	追	大	問	戦	干	機	全	大	渉	法	全	大	賠	干	入
情	締	題	制	保	国	戦	締	国	北	締	国	放	入	国	拒	権	賠	障	世
権	否	権	渉	権	大	内	密	題	南	置	保	国	界	制	裁	国	拒	内	国
界	情	追	障	法	法	権	権	大	追	報	北	保	報	安	賠	結	報	政	報
償	賠	措	報	報	否	報	問	国	全	安	界	否	国	安	締	問	不	大	権
報	政	渉	干	政	内	問	制	拒	結	追	情	南	置	干	制	情	裁	報	安
否	南	問	全	拒	否	措	裁	裁	賠	報	賠	放	不	大	情	追	干	密	裁
報	情	密	機	措	機	密	措	障	権	入	政	拒	安	制	置	情	報	置	安
締	措	不	全	界	北	大	置	南	報	安	題	干	情	安	拒	結	世	全	締
南	問	南	措	戦	保	戦	措	安	界	戦	追	権	否	拒	全	全	保	法	界
北	償	拒	措	大	措	政	大	報	拒	償	世	干	賠	戦	措	障	戦	法	裁
問	制	裁	問	界	否	追	放	障	南	情	大	追	置	法	政	措	問	渉	権
題	否	内	報	世	措	情	題	北	全	世	入	界	法	渉	機	題	機	問	問
渉	障	全	密	報	北	安	大	追	国	渉	界	密	制	措	置	機	置	界	密

なんぼくもんだい
南北問題 — North-South divide

せいさいそち
制裁措置 — punitive measures

ふほうにゅうこく
不法入国 — illegal entry

ばいしょう
賠償 — reparations

ていけつ
締結 — conclusion of a treaty

きょひ
拒否 — refusal

ついほう
追放 — banishment, deportation

あんぜんほしょう
安全保障 — security

きみつじょうほう
機密情報 — confidential information

きょひけん
拒否権 — veto

ないせいかんしょう
内政干渉 — interference in domestic affairs

せかいたいせん
世界大戦 — World War

外交 Diplomacy 5番目

共 新 和 関 通 官 問 平 和 外 商 談 発 問 脳 大 関 好 交 平

事 商 同 外 問 事 同 大 通 交 表 公 式 官 官 発 会 官 聞 聞

訪 訪 聞 係 通 官 訪 談 式 官 新 関 同 講 表 和 表 官 好 通

問 新 条 問 好 外 新 問 会 表 関 発 約 表 談 首 式 平 使 大

共 外 官 新 公 表 共 関 発 脳 表 式 発 官 事 条 脳 友 訪 友

約 係 共 館 好 大 新 聞 外 約 首 同 公 新 首 会 外 聞 賓 聞

友 共 使 訪 訪 脳 新 和 領 表 共 関 訪 和 共 領 共 大 平 談

談 新 談 表 大 友 平 係 式 約 和 問 首 公 領 平 平 官 和 発

和 平 好 関 講 大 約 交 大 平 友 友 好 関 係 賓 賓 首 条 式

新 交 平 事 首 通 商 賓 外 通 商 条 約 使 会 新 使 和 約 問

外 首 式 友 外 関 使 好 係 係 係 公 訪 式 使 平 問 講 訪 共

聞 係 式 事 館 首 商 好 賓 式 聞 聞 使 好 訪 関 係 式 係 聞

好 条 大 事 講 聞 共 新 外 領 関 館 事 領 新 和 公 係 問 会

訪 会 同 好 問 使 官 賓 公 関 訪 訪 約 同 友 大 事 商 訪 式

和 和 約 同 問 発 式 事 官 官 賓 館 訪 同 通 平 外 平 公 会

しゅのうかいだん
首脳会談 — summit talk

きょうどうはっぴょう
共同発表 — joint statement

しんぶんはっぴょう
新聞発表 — press guidance

こうしきほうもん
公式訪問 — official visit

たいし
大使 — ambassador

りょうじかん
領事館 — consulate

がいこうかん
外交官 — diplomatic officials

つうしょうじょうやく
通商条約 — commerce treaty

へいわじょうやく
平和条約 — peace treaty

ゆうこうかんけい
友好関係 — friendship

こうひん
公賓 — state guest

こうわ
講和 — peace, reconciliation

外交 Diplomacy 6番目

明	邸	勢	情	際	国	国	同	声	土	世	同	同	同	交	邸	使	土	独	邦
交	世	准	国	邸	邸	領	声	独	独	同	邦	理	国	代	際	大	回	互	独
交	批	際	准	復	明	復	共	政	府	互	回	土	大	復	連	理	交	土	声
土	復	使	大	土	准	互	邦	使	国	復	独	互	理	邦	領	代	理	立	互
恵	代	三	代	連	准	互	共	使	際	連	声	政	政	邦	大	明	情	邦	公
大	回	三	理	同	恵	情	明	同	邸	交	邸	府	情	明	理	界	独	領	代
邦	世	復	使	交	同	際	大	政	共	復	同	国	領	回	世	政	邦	回	府
復	勢	独	理	復	代	回	界	際	同	明	政	勢	邸	三	大	三	批	復	土
交	明	准	政	府	連	恵	独	回	声	声	邦	公	第	際	府	明	使	情	政
大	邦	立	声	世	大	大	土	勢	明	領	国	勢	復	明	独	情	三	独	邸
共	批	界	復	回	交	国	界	土	土	勢	立	恵	領	立	恵	批	政	第	交
領	互	明	同	交	理	国	公	共	互	第	独	連	復	復	界	三	恵	情	大
領	批	互	大	世	邦	代	大	邦	情	領	国	連	回	第	国	界	際	復	界
連	互	使	邸	交	立	領	立	同	公	勢	理	府	交	立	際	代	同	声	代
第	公	復	府	三	第	三	互	連	国	立	勢	領	声	明	際	使	政	復	互

どくりつ
独立 — independence

どくりつこく
独立国 — independent country

りょうど
領土 — territory

こくさいじょうせい
国際情勢 — international situation

ごけい
互恵 — reciprocity

ひじゅん
批准 — ratification

こっこうかいふく
国交回復 — rapprochement

れんぽうせいふ
連邦政府 — federal government

だいさんせかい
第三世界 — Third World

だいりたいし
代理大使 — chargé d'affaires

きょうどうせいめい
共同声明 — joint statement

こうてい
公邸 — official residence

軍事 Military　1番目

空	紛	御	海	略	争	軍	御	衛	陸	車	衛	衛	作	車	空	御	内	空	争
紛	御	戦	空	作	衛	内	軍	戦	御	内	紛	空	事	内	御	紛	略	陸	争
陸	海	作	海	作	事	紛	紛	戦	衛	軍	海	衛	略	内	作	内	作	防	争
海	争	衛	衛	御	車	作	空	紛	軍	略	争	作	内	紛	内	紛	車	事	陸
事	海	略	陸	事	略	軍	内	衛	御	作	御	略	作	略	空	空	事	車	防
事	事	防	争	防	略	作	御	事	衛	内	空	車	軍	内	陸	戦	御	車	海
衛	紛	陸	空	防	軍	陸	紛	空	陸	衛	作	紛	衛	争	略	衛	軍	衛	事
内	事	内	防	戦	争	略	衛	作	事	海	海	車	陸	車	車	事	略	略	車
内	防	海	海	空	防	軍	紛	車	車	内	海	防	防	事	海	争	海	略	内
軍	紛	車	作	紛	戦	軍	略	紛	海	争	防	車	紛	内	事	紛	御	紛	紛
略	紛	内	作	陸	御	車	衛	略	空	陸	御	車	紛	陸	車	空	紛	戦	陸
海	事	事	陸	御	衛	軍	車	作	争	略	海	略	車	紛	事	陸	衛	内	防
事	略	防	作	御	争	軍	内	御	内	御	略	防	紛	空	衛	海	紛	車	海
内	海	作	空	車	軍	略	作	車	海	空	陸	紛	陸	海	戦	衛	内	陸	内
車	陸	車	事	防	軍	軍	内	衛	御	争	御	紛	車	防	衛	事	衛	車	空

ぼうえい
防衛　defense

ぼうぎょ
防御　defense

りくぐん
陸軍　army

かいぐん
海軍　navy

くうぐん
空軍　air force

せんそう
戦争　war

ないせん
内戦　civil war

ふんそう
紛争　conflict

せんりゃく
戦略　strategy

さくせん
作戦　operation

せんしゃ
戦車　tank

ぐんじ
軍事　military affairs

軍事 Military 2番目

墜 兵 兵 軍 隊 撃 弾 校 爆 墜 備 将 兵 備 爆 将 爆 隊 徴 軍

配 校 兵 撃 弾 軍 配 兵 備 校 備 墜 攻 攻 徴 墜 弾 備 発 配

隊 校 墜 弾 校 配 撃 将 兵 爆 役 軍 墜 弾 隊 攻 墜 将 役 攻

攻 軍 徴 隊 将 徴 徴 発 墜 軍 攻 配 隊 発 弾 将 備 攻 爆 備

攻 校 校 墜 徴 撃 撃 軍 墜 弾 発 隊 徴 撃 配 将 発 墜 墜 兵

役 墜 校 攻 徴 隊 発 配 墜 備 撃 役 役 撃 弾 配 発 軍 弾 兵

攻 軍 配 攻 墜 配 弾 兵 墜 弾 配 発 隊 攻 発 将 弾 墜 校 撃

弾 役 攻 攻 配 弾 役 軍 兵 発 墜 役 徴 墜 兵 墜 発 軍 弾 備

徴 徴 爆 軍 隊 軍 校 校 墜 隊 攻 校 墜 将 墜 軍 配 軍 役 発

隊 配 爆 役 発 撃 隊 備 校 弾 校 発 備 爆 墜 爆 校 軍 配 軍

軍 配 校 備 備 徴 隊 発 校 撃 校 徴 墜 役 隊 発 兵 爆 役 発

兵 撃 兵 備 将 徴 備 校 弾 隊 撃 隊 弾 軍 攻 発 撃 備 備 役

校 備 校 爆 役 爆 役 撃 配 発 校 発 弾 将 徴 隊 撃 将 攻 発

徴 備 校 校 役 攻 将 発 兵 軍 配 兵 攻 役 攻 隊 配 発 兵 発

役 隊 備 備 爆 配 兵 撃 徴 爆 兵 爆 備 役 軍 弾 将 配 将 攻

ばくだん
爆弾 bomb

ばくげき
爆撃 bombing

こうげき
攻撃 attack

ついげき
墜撃 shoot down

ばくはつ
爆発 explosion

へいえき
兵役 service

ちょうへい
徴兵 draft

へいたい
兵隊 soldier

しょうこう
将校 officer

しょうぐん
将軍 general

ぐんび
軍備 armament

はいび
配備 deployment

軍事 Military 3番目

闘	航	軍	略	洋	航	練	益	機	練	巡	益	空	休	巡	洋	艦	空	休	航
潜	練	機	休	器	兵	航	益	母	空	巡	休	軍	機	兵	兵	巡	巡	器	休
訓	洋	闘	益	防	訓	潜	核	闘	戦	防	水	艦	闘	略	兵	艦	母	軍	休
潜	防	益	休	水	母	航	略	軍	闘	巡	艦	闘	機	母	訓	防	母	兵	潜
核	略	水	闘	艦	空	兵	訓	巡	機	闘	兵	艦	練	空	略	闘	略	略	母
軍	核	潜	益	母	潜	略	機	戦	機	練	母	水	核	潜	機	国	機	機	航
器	休	核	艦	訓	艦	空	空	潜	洋	戦	益	闘	兵	休	機	航	潜	洋	潜
益	略	航	休	国	水	略	戦	巡	核	母	訓	母	器	略	休	略	略	巡	略
機	核	器	水	巡	潜	艦	機	略	巡	艦	休	益	略	艦	練	戦	益	空	軍
練	器	巡	母	略	国	母	洋	核	航	水	航	艦	核	水	空	器	軍	戦	防
水	防	機	航	国	艦	戦	航	機	核	艦	核	母	核	巡	軍	水	航	略	機
器	器	戦	兵	休	空	巡	軍	防	巡	防	水	略	巡	略	軍	水	軍	兵	巡
器	核	艦	巡	母	水	闘	水	器	防	軍	巡	練	器	休	闘	水	巡	器	母
防	休	国	核	休	航	闘	核	機	練	器	潜	母	水	略	休	軍	空	器	休
艦	国	水	益	機	航	空	休	休	洋	水	軍	略	闘	航	兵	軍	空	機	艦

へいき
兵器 — weapon

かくへいき
核兵器 — nuclear weapon

せんりゃくへいき
戦略兵器 — strategic weapon

きゅうせん
休戦 — armistice

こくぼう
国防 — national defense

こくえき
国益 — national interest

せんとうき
戦闘機 — fighter aircraft

こうくうぼかん
航空母艦 — aircraft carrier

ぐんかん
軍艦 — warship

せんすいかん
潜水艦 — submarine

じゅんようかん
巡洋艦 — cruiser

くんれん
訓練 — training

軍事 Military 4番目

縮 核 大 核 縮 拡 占 行 行 地 軍 領 大 行 争 部 使 紛 紛 犯

核 使 行 武 武 占 侵 部 小 備 行 占 備 空 力 使 紛 犯 小 空

紛 拡 戦 力 地 海 海 空 武 占 争 侵 備 海 力 侵 域 域 拡 占

空 空 争 行 軍 軍 争 核 使 拡 縮 地 縮 拡 海 空 力 軍 空 海

犯 海 装 使 部 力 犯 侵 部 戦 大 行 空 戦 空 争 部 地 核 武

使 地 武 紛 部 大 域 空 拡 軍 空 備 武 武 隊 核 域 戦 域 核

域 隊 争 縮 拡 紛 戦 行 戦 争 拡 軍 備 争 空 紛 争 侵 軍 地

海 装 力 領 行 域 使 紛 戦 空 戦 備 占 域 争 戦 行 領 侵 空

域 縮 軍 小 部 核 備 紛 占 備 紛 拡 大 地 装 備 部 行 装 縮

装 領 軍 備 空 使 空 占 軍 紛 拡 大 領 拡 軍 装 隊 拡 大 地

縮 拡 紛 核 縮 備 戦 使 域 縮 核 紛 空 軍 地 争 争 地 縮 使

侵 核 縮 小 行 小 核 域 隊 領 地 縮 戦 核 軍 隊 占 大 地 戦

備 海 武 戦 装 小 縮 装 域 犯 核 装 争 核 争 占 戦 戦 力 占

大 縮 行 小 使 占 戦 侵 使 行 軍 縮 領 力 域 行 海 侵 力 占

拡 争 大 地 小 備 地 地 備 地 占 域 海 武 縮 備 隊 侵 部 部

ぐんたい
軍隊 armed forces

ぶたい
部隊 a military unit

りょうくう
領空 territorial air space

りょうかい
領海 territorial sea

ぶそう
武装 armaments

ちいきふんそう
地域紛争 regional dispute

かくせんそう
核戦争 nuclear war

しんぱん
侵犯 invasion

せんりょう
占領 occupation

ぶりょくこうし
武力行使 use of military force

ぐんびかくだい
軍備拡大 arms buildup

ぐんびしゅくしょう
軍備縮小 arms reduction

軍事 Military 5番目

生	核	散	地	化	戦	張	水	核	侵	縮	償	散	拡	原	学	侵	物	化	捕
基	基	封	虜	償	学	縮	拡	物	緊	争	抑	止	力	償	基	散	軍	軍	争
張	核	物	基	張	生	力	捕	拡	捕	核	軍	抑	軍	軍	基	償	縮	軍	核
地	散	侵	封	張	化	学	兵	器	化	拡	拡	張	核	力	兵	散	生	生	鎖
核	賠	虜	地	水	償	器	止	兵	鎖	散	兵	生	虜	封	原	生	物	力	散
捕	爆	散	地	抑	地	鎖	抑	基	基	原	戦	基	止	水	虜	賠	兵	核	器
器	賠	鎖	学	虜	止	戦	侵	抑	鎖	封	捕	争	生	物	虜	物	器	争	虜
軍	戦	緊	争	水	地	地	生	償	拡	張	緊	水	賠	核	縮	物	地	基	戦
償	核	拡	捕	争	軍	賠	生	水	略	化	縮	略	拡	償	虜	虜	侵	原	捕
基	水	核	器	散	核	兵	核	核	償	軍	兵	爆	物	張	償	賠	兵	物	縮
止	戦	償	償	器	張	償	略	侵	侵	生	水	地	散	学	軍	器	戦	爆	地
縮	学	虜	鎖	散	生	封	核	鎖	侵	原	水	縮	鎖	償	緊	償	償	散	水
化	物	拡	捕	化	争	拡	虜	生	器	鎖	化	戦	生	学	爆	略	賠	鎖	軍
張	縮	鎖	捕	器	略	止	争	核	止	拡	縮	張	生	力	争	基	捕	緊	賠
封	地	化	賠	償	戦	原	縮	基	拡	縮	止	軍	兵	鎖	緊	封	略	鎖	抑

かがくへいき
化学兵器 chemical weapon

せいぶつへいき
生物兵器 biological weapon

しんりゃく
侵略 invasion

ふうさ
封鎖 blockade

ほりょ
捕虜 prisoner of war

きち
基地 base

せんそうばいしょう
戦争賠償 war reparation

げんすいばく
原水爆 atomic hydrogen bomb

よくしりょく
抑止力 nuclear deterrent

かくかくさん
核拡散 nuclear proliferation

かくぐんしゅく
核軍縮 nuclear disarmament

きんちょう
緊張 tension

正義 Justice 1番目

警	罪	官	察	義	質	義	場	官	質	交	質	罪	罪	正	強	不	犯	番	義
罪	質	義	行	窃	場	官	行	質	強	不	行	警	盗	人	行	不	強	現	場
正	番	察	強	質	官	義	場	交	盗	官	警	正	現	官	現	現	義	窃	罪
義	人	人	察	正	窃	強	強	質	交	行	場	強	場	盗	不	義	犯	強	人
現	窃	現	察	交	官	犯	義	官	場	現	現	察	義	質	現	警	警	人	不
人	不	質	義	官	現	察	強	窃	番	窃	現	場	番	官	強	不	人	警	不
義	交	現	不	現	番	義	犯	窃	質	現	正	警	番	義	場	場	強	交	警
質	盗	質	盗	窃	行	警	番	察	現	盗	警	強	現	犯	盗	番	正	犯	交
官	正	正	官	番	質	正	強	警	行	人	正	人	現	察	場	質	質	察	場
官	犯	番	犯	察	犯	犯	犯	行	現	場	行	番	察	番	犯	交	行	盗	交
犯	場	盗	番	義	場	交	正	番	窃	現	窃	質	窃	不	盗	交	察	質	犯
番	交	盗	行	察	盗	盗	人	窃	場	人	行	場	現	犯	交	正	窃	現	罪
窃	質	警	罪	行	不	交	察	窃	質	行	不	交	不	察	正	現	察	交	義
場	正	交	質	番	質	犯	不	強	質	交	犯	警	義	強	交	正	人	交	交
交	不	場	窃	察	番	義	強	現	犯	現	強	義	場	罪	正	盗	官	罪	不

けいかん
警官 police officer

けいさつ
警察 police station

こうばん
交番 police box

はんこう
犯行 crime

せっとう
窃盗 burglar

ごうとう
強盗 robber

はんにん
犯人 criminal

はんこうげんば
犯行現場 scene of a crime

ひとじち
人質 hostage

せいぎ
正義 justice

ふせい
不正 injustice

はんざい
犯罪 criminal offense

正義 Justice 2番目

死 跡 目 告 目 死 裁 死 原 者 刑 殺 者 拘 査 害 所 置 判 傷
法 所 法 置 告 者 法 追 撃 者 告 殺 死 害 告 査 判 法 裁 目
捜 殺 目 撃 告 査 所 捜 目 殺 傷 判 巡 捜 査 撃 害 目 傷 置
追 置 巡 刑 告 者 殺 傷 捜 置 法 所 廷 廷 原 殺 目 所 人 人
人 法 殺 裁 追 者 殺 原 跡 被 原 捜 巡 捜 死 傷 原 査 被 死
裁 人 査 殺 追 殺 原 殺 判 傷 追 刑 目 死 跡 追 所 拘 法 害
追 原 者 目 拘 判 害 拘 拘 刑 追 原 所 者 原 刑 所 人 告 置
刑 撃 刑 告 害 判 死 原 告 追 殺 原 裁 巡 撃 廷 廷 裁 巡 所
目 者 害 査 目 殺 原 裁 査 傷 法 撃 査 原 人 巡 置 目 人 法
廷 告 傷 死 廷 被 巡 被 死 跡 刑 裁 所 被 捜 拘 告 刑 死 者
殺 法 査 跡 傷 判 撃 傷 死 告 置 害 被 傷 人 刑 廷 所 法 査
拘 告 刑 傷 法 死 被 原 撃 巡 害 置 捜 人 判 人 捜 裁 置 跡
巡 目 査 人 者 所 人 置 捜 跡 法 裁 被 原 撃 置 人 撃 目 拘
捜 判 告 害 告 法 拘 者 跡 被 拘 跡 拘 害 刑 所 害 目 跡 人
捜 置 死 跡 目 告 所 原 人 傷 目 被 人 原 被 告 刑 法 者 撃

もくげきしゃ
目撃者 witness

さつじん
殺人 murder

こうちしょ
拘置所 detention facility

さいばん
裁判 trial

ほうてい
法廷 court of law

ひこく
被告 defendant

げんこく
原告 plaintiff

しけい
死刑 death penalty

じゅんさ
巡査 police officer

そうさ
捜査 search

しょうがい
傷害 injury

ついせき
追跡 chase, track down

正義 Justice 3番目

人	容	誘	容	偵	平	尋	偵	公	人	公	輸	不	問	偵	暴	公	問	容	拐
輸	探	証	暴	暴	疑	暴	公	輸	走	逃	拠	誘	密	証	不	証	平	平	密
人	輸	問	走	不	問	拠	検	疑	輸	拠	視	走	陪	誘	誘	検	公	公	問
不	証	拐	尋	拠	検	走	人	偵	誘	人	力	力	審	走	輸	人	走	平	疑
平	走	暴	公	拐	陪	陪	容	偵	輸	陪	誘	輸	不	尋	陪	拐	偵	公	逃
誘	公	視	探	拐	尋	平	検	不	容	暴	証	証	視	公	暴	不	暴	不	拠
力	陪	逃	拐	疑	証	拠	拠	人	容	輸	検	公	暴	疑	公	偵	輸	逃	疑
人	輸	容	検	公	誘	容	平	密	拐	視	平	輸	誘	審	探	尋	尋	人	問
平	誘	証	証	暴	密	審	暴	証	偵	密	平	密	容	密	探	暴	尋	探	公
不	証	検	不	公	容	人	走	平	偵	走	密	力	誘	人	容	平	尋	不	平
拐	不	疑	暴	輸	誘	尋	輸	視	拐	不	拐	密	力	陪	探	逃	不	力	疑
検	公	拐	拠	陪	公	拠	力	審	容	人	尋	尋	暴	問	疑	審	容	拐	誘
拐	不	拠	拐	密	不	問	検	力	検	人	陪	人	暴	検	公	人	力	走	証
力	平	問	疑	暴	暴	逃	密	尋	拐	陪	不	視	疑	密	容	視	公	走	誘
拐	審	平	平	平	人	陪	拠	容	容	拐	人	尋	偵	公	疑	証	探	力	不

みつゆ
密輸 smuggling

とうそう
逃走 escape

ようぎ
容疑 suspect

ぼうりょく
暴力 violence

ふこうへい
不公平 unfair, unjust

ゆうかい
誘拐 kidnapping

しょうこ
証拠 evidence, proof

しょうにん
証人 witness

ばいしん
陪審 jury

けんし
検視 autopsy

じんもん
尋問 interrogation

たんてい
探偵 detective

正義 Justice 4番目

所	察	賂	報	判	判	報	釈	紋	恩	未	司	恩	賂	判	恩	殺	恩	器	賄
指	未	未	釈	法	署	賄	遂	赦	務	察	司	保	報	紋	判	紋	挙	署	挙
恩	賄	器	未	釈	賄	保	未	賂	判	司	検	保	遂	刑	殺	遂	察	所	刑
遂	遂	公	報	検	人	所	人	務	賄	報	器	司	検	警	釈	司	公	人	挙
未	賄	人	法	恩	察	法	殺	保	未	赦	賄	署	賂	警	釈	指	器	赦	法
司	所	未	指	法	賂	判	挙	法	公	器	刑	赦	赦	人	法	器	赦	務	法
署	警	釈	人	保	釈	人	署	紋	紋	人	務	殺	殺	司	署	指	挙	人	警
器	遂	署	公	検	遂	務	器	報	警	刑	司	司	司	賂	指	保	検	警	公
未	釈	刑	務	所	保	紋	恩	賂	挙	赦	司	釈	指	挙	察	報	紋	賂	人
司	器	恩	紋	務	人	検	所	公	器	所	未	賂	器	司	務	保	警	遂	公
人	紋	務	刑	器	人	未	遂	警	警	所	赦	検	検	所	器	察	紋	挙	所
賂	法	判	遂	務	紋	賄	赦	指	釈	司	報	未	未	所	署	法	賂	警	人
務	殺	賄	器	司	器	未	器	賂	公	刑	指	恩	釈	恩	未	察	法	赦	所
法	釈	察	挙	察	釈	賄	法	所	遂	司	挙	紋	人	警	紋	遂	刑	公	察
人	署	刑	司	挙	報	法	赦	釈	警	器	釈	務	報	刑	人	検	賄	報	判

けいほうき
警報器 siren, alarm

おんしゃ
恩赦 pardon

さつじんみすい
殺人未遂 attempted murder

けいさつしょ
警察署 police station

けいむしょ
刑務所 prison

けんきょ
検挙 arrest

わいろ
賄賂 bribe

しもん
指紋 fingerprints

けいほう
刑法 criminal law

しほう
司法 administration of justice

こうはん
公判 public trial

ほしゃく
保釈 bail

正義 Justice　5番目

訴	供	無	供	決	職	供	事	職	汚	判	拘	拘	訟	供	供	証	監	供	汚
言	供	言	決	訟	禁	告	事	無	言	拘	罪	証	証	押	証	事	宣	罪	訟
監	供	留	収	禁	訟	事	事	決	有	訴	押	供	告	訴	決	罪	収	言	押
供	無	供	留	罪	自	証	留	汚	汚	留	言	押	監	事	自	訟	告	訴	拘
供	拘	押	監	留	宣	禁	留	決	供	供	留	有	宣	告	職	罪	拘	罪	押
汚	監	職	言	有	罪	訴	言	罪	判	宣	証	訟	自	無	禁	宣	訴	訴	拘
禁	判	無	告	決	決	監	判	収	判	供	禁	無	決	言	供	拘	判	汚	言
告	告	告	無	押	自	有	有	汚	告	押	宣	事	監	収	告	訴	自	拘	言
汚	有	職	訟	判	無	供	有	訴	証	監	供	供	無	罪	禁	汚	自	自	告
禁	押	事	監	汚	監	訟	宣	職	訟	罪	告	無	押	押	罪	判	宣	収	職
事	禁	訟	自	証	決	監	留	自	押	拘	証	留	決	供	押	供	拘	証	訟
宣	判	拘	自	告	証	自	職	監	収	事	汚	告	収	監	証	禁	宣	宣	宣
無	判	宣	拘	証	判	禁	告	収	言	決	有	訴	収	監	汚	訴	宣	判	罪
有	訟	言	事	訟	職	職	罪	拘	証	無	訴	言	自	監	告	自	罪	押	告
禁	禁	告	無	押	拘	事	証	汚	押	供	訴	自	自	留	拘	証	事	訴	有

むざい
無罪　not guilty

ゆうざい
有罪　guilty

はんけつ
判決　ruling

そしょう
訴訟　lawsuit

こうりゅう
拘留　custody

おうしゅう
押収　confiscation

じきょう
自供　confession

しょうげん
証言　testimony

せんこく
宣告　verdict, sentence

はんじ
判事　judge

かんきん
監禁　imprisonment

おしょく
汚職　corruption, bribery

正義 Justice 6番目

脅	力	暗	犯	逮	罰	暗	詐	殺	殺	組	金	罪	罪	団	組	代	権	身	犯
収	人	欺	代	犯	組	人	脅	力	没	詐	逮	護	人	欺	罪	没	暴	殺	逮
罪	代	暗	脅	金	組	脅	暴	力	迫	迫	殺	織	人	罪	護	脅	殺	代	欺
護	収	罪	代	逮	犯	弁	代	殺	罰	代	護	金	権	織	権	詐	権	捕	罰
人	捕	力	収	弁	欺	人	暴	殺	殺	罰	代	代	脅	暗	詐	金	犯	犯	収
人	迫	脅	殺	収	暴	罰	罰	組	罰	身	罪	金	罰	弁	織	欺	罪	織	団
罰	暴	団	人	欺	代	罰	権	迫	捕	身	織	力	欺	人	代	護	犯	脅	欺
代	殺	殺	犯	殺	組	迫	捕	身	権	罰	殺	欺	組	織	犯	罪	暗	人	組
罰	逮	護	逮	逮	逮	身	殺	捕	弁	脅	権	身	脅	団	殺	弁	人	人	護
欺	迫	迫	罪	犯	弁	護	人	収	権	金	暗	護	逮	権	欺	織	代	没	捕
身	罰	織	暴	犯	力	暗	迫	金	殺	没	織	力	護	犯	捕	弁	罪	力	金
犯	罰	団	力	暴	犯	捕	弁	逮	没	身	身	犯	罰	力	金	金	弁	組	暗
組	没	収	脅	犯	金	暴	犯	罰	人	暴	人	捕	逮	暗	人	暗	代	犯	代
罰	織	権	脅	犯	収	組	力	代	逮	罪	脅	脅	暴	脅	収	力	織	収	護
織	罰	暗	殺	代	罪	金	人	収	弁	団	欺	暴	金	金	逮	力	迫	権	護

さぎ
詐欺 fraud

きょうはく
脅迫 threat

あんさつ
暗殺 assassination

ぼっしゅう
没収 confiscation, seizure

たいほ
逮捕 arrest, capture

べんご
弁護 advocacy, defense

ばっきん
罰金 fine, penalty

みのしろきん
身代金 ransom

さつじんはん
殺人犯 murderer

じんけん
人権 human rights

ぼうりょくだん
暴力団 gang

そしきはんざい
組織犯罪 organized crime

正義 Justice 7番目

警	視	科	審	視	民	民	件	訟	件	口	警	警	口	視	審	警	起	検	訴
糸	科	警	前	麻	部	起	検	訴	訴	起	口	前	視	部	薬	件	口	察	法
法	視	薬	前	事	麻	麻	庁	糸	糸	発	発	件	口	科	部	再	発	部	発
口	庁	発	発	察	訟	件	再	警	法	検	薬	庁	摘	検	審	前	訴	麻	起
起	科	部	察	発	科	民	麻	警	事	庁	薬	起	麻	庁	糸	訟	事	法	科
部	事	法	麻	糸	起	件	口	件	審	法	口	口	部	部	民	警	糸	部	法
訴	訟	事	件	前	事	視	訟	発	発	前	件	起	事	麻	口	訴	警	審	民
件	庁	科	庁	口	民	視	前	事	法	事	訟	警	視	庁	庁	麻	事	視	糸
法	口	起	検	科	警	察	民	薬	薬	法	視	察	視	警	検	麻	審	件	部
訟	薬	再	検	糸	察	件	摘	件	発	口	警	前	糸	摘	訴	科	薬	訴	訟
再	起	件	訟	起	庁	科	麻	糸	法	警	発	視	審	察	審	審	視	発	再
民	前	庁	起	警	薬	法	警	口	法	起	前	警	科	薬	前	視	検	庁	糸
発	審	民	麻	法	件	法	訴	口	科	麻	民	警	糸	件	摘	警	件	審	検
薬	庁	起	訟	訴	前	審	麻	事	審	事	科	訟	麻	事	薬	科	発	麻	発
起	口	件	薬	民	麻	民	審	審	部	摘	発	発	麻	庁	再	察	視	発	訴

さいしん
再審 retrial

けいさつちょう
警察庁 National Police Agency

てきはつ
摘発 exposing, unmasking

ぜんか
前科 previous convictions

いとぐち
糸口 clue

そしょうじけん
訴訟事件 law case

けいしちょう
警視庁 Metropolitan Police Department

まやく
麻薬 illegal drugs

けいぶ
警部 police inspector

みんぽう
民法 civil law

きそ
起訴 prosecution, indictment

けんさつ
検察 prosecutor

健康 Health 1番目

重	院	身	院	者	長	入	健	体	液	長	入	液	血	体	康	体	医	健	型
康	患	看	康	護	長	医	圧	者	圧	康	長	者	身	型	血	液	型	型	健
医	患	入	者	長	長	者	康	液	入	入	康	康	型	院	護	長	看	体	者
入	体	患	長	看	長	入	者	型	退	病	液	退	型	身	液	型	患	体	血
長	退	体	入	患	康	入	型	入	康	康	者	看	圧	退	圧	重	看	血	院
重	身	入	入	看	医	圧	液	退	体	圧	病	型	血	者	長	退	病	患	健
身	病	液	康	重	入	長	型	看	看	圧	護	入	康	看	重	医	液	身	重
血	看	院	医	圧	病	型	院	康	圧	退	重	血	長	院	康	看	健	身	入
血	身	血	医	護	身	退	者	看	病	長	護	健	血	者	身	患	健	退	液
医	健	退	長	体	身	護	康	者	体	患	入	護	者	入	護	入	型	病	体
医	重	重	護	型	液	液	者	型	体	液	型	者	血	康	退	液	患	看	型
入	長	病	入	院	圧	型	重	液	院	長	健	病	者	康	身	液	長	長	康
看	病	型	長	体	長	看	型	重	体	圧	退	長	圧	護	者	護	病	型	康
者	入	型	者	病	体	健	血	者	長	圧	長	病	病	健	型	康	護	看	血
健	病	身	身	体	液	長	康	看	退	液	長	血	患	身	液	長	入	身	病

びょういん
病院 — hospital

いしゃ
医者 — doctor

かんじゃ
患者 — patient

かんご
看護 — nursing

けんこう
健康 — health

にゅういん
入院 — admitted to a hospital

たいいん
退院 — leaving the hospital

けつえき
血液 — blood

けつあつ
血圧 — blood pressure

けつえきがた
血液型 — blood type

たいじゅう
体重 — weight

しんちょう
身長 — height

健康 Health 2番目

科	看	専	医	血	血	診	血	科	院	外	風	術	専	療	院	護	病	察	風
邪	方	合	血	医	院	科	断	医	婦	婦	家	察	風	外	婦	看	院	外	療
門	出	医	病	門	庭	門	血	護	処	専	血	断	婦	処	護	合	方	療	風
療	術	家	総	合	外	家	門	血	護	門	察	院	庭	婦	外	院	手	血	血
婦	婦	専	邪	婦	病	医	邪	家	婦	病	風	庭	合	手	婦	手	護	方	合
院	出	方	邪	科	科	手	血	院	看	院	院	看	庭	術	総	門	科	家	診
断	庭	術	出	合	総	総	合	護	方	合	病	診	看	外	風	家	療	外	庭
察	科	庭	医	合	医	院	護	科	総	看	邪	病	処	看	血	病	専	合	術
門	婦	察	病	処	方	庭	血	庭	院	病	護	婦	合	術	察	診	合	出	外
出	家	婦	出	門	家	断	庭	家	合	処	風	護	術	出	庭	処	手	婦	手
断	出	診	療	手	医	処	処	病	病	総	総	護	療	方	総	診	合	院	方
邪	婦	院	邪	看	合	血	出	邪	処	婦	合	医	合	門	庭	総	手	風	断
婦	邪	血	療	庭	察	処	門	護	診	護	病	病	庭	家	出	看	科	総	庭
病	療	科	家	血	外	専	風	外	邪	護	院	断	血	邪	護	邪	専	家	療
院	婦	庭	家	邪	邪	手	血	術	婦	合	出	門	院	病	処	看	風	方	血

かていい	家庭医	family doctor
かんごふ	看護婦	nurse
しゅじゅつ	手術	operation
げか	外科	surgery
かぜ	風邪	a cold
しんだん	診断	diagnosis
しんりょう	診療	medical treatment
しんさつ	診察	diagnosis and treatment
しょほう	処方	prescription
しゅっけつ	出血	bleeding
そうごうびょういん	総合病院	general hospital
せんもんびょういん	専門病院	special hospital

健康 Health 3番目

注 疫 帯 流 車 献 注 車 低 免 急 射 死 献 疫 帯 血 射 感 作

帯 副 射 医 体 車 車 高 死 作 用 医 流 車 副 高 救 療 療 体

療 作 作 免 感 帯 医 死 免 注 死 輸 作 救 作 車 用 免 献 死

高 用 低 車 輸 用 流 包 注 作 流 献 帯 副 流 包 救 免 献 注

高 疫 献 救 救 死 注 低 救 低 注 注 包 医 作 副 免 医 感 輸

作 流 包 死 作 感 注 注 流 注 死 急 流 血 注 死 死 作 急 射

流 輸 救 低 救 死 副 圧 医 圧 療 疫 用 免 包 高 作 医 高 包

医 医 救 帯 圧 用 感 副 圧 感 療 副 低 圧 疫 療 車 車 救 感

帯 急 急 用 免 流 圧 死 救 車 死 輸 免 血 高 副 死 医 射 急

車 注 献 副 用 療 疫 血 射 療 死 射 作 作 作 副 疫 包 献 死

射 体 副 帯 急 感 副 急 高 圧 射 作 献 高 輸 感 車 高 低 作

作 車 体 療 注 包 用 副 死 高 死 疫 感 圧 包 用 免 感 医 輸

献 帯 献 用 血 輸 医 救 死 射 副 用 体 血 死 作 免 高 死 死

車 作 感 副 射 帯 副 療 免 医 医 用 血 低 高 血 作 低 救 療

死 献 圧 圧 用 圧 療 死 副 死 車 死 免 包 疫 包 献 医 帯 輸

いりょう
医療 medical service

けんけつ
献血 blood donation

ちゅうしゃ
注射 injection

めんえき
免疫 immunity

ていけつあつ
低血圧 low blood pressure

こうけつあつ
高血圧 high blood pressure

きゅうきゅうしゃ
救急車 ambulance

したい
死体 corpse

ふくさよう
副作用 side effect

りゅうかん
流感 influenza

ほうたい
包帯 bandage

ゆけつ
輸血 blood transfusion

健康 Health 4番目

秘	頭	臓	胃	肺	心	肝	症	痢	症	色	毒	管	痛	症	胃	便	心	管	管
痛	症	色	痛	秘	血	痛	秘	痢	毒	管	秘	秘	症	管	中	頭	症	毒	肺
痛	肺	便	臓	色	肺	肺	胃	肝	痢	秘	管	色	管	肺	心	腎	下	秘	中
肺	胃	状	中	頭	毒	毒	肺	胃	肝	肝	胃	状	腎	中	状	管	肺	中	頭
顔	顔	秘	状	痢	便	状	状	便	腸	毒	状	痢	顔	頭	腎	秘	痛	心	痢
血	心	毒	痢	胃	痢	心	心	血	痛	症	腎	腎	中	秘	毒	顔	下	下	管
痛	秘	頭	便	色	胃	痛	下	状	血	顔	色	腸	痢	血	血	状	中	腸	心
肝	状	毒	頭	状	下	肺	腸	状	血	心	中	臓	痢	状	顔	痢	肝	血	肺
胃	痢	顔	秘	腸	腸	便	頭	肝	秘	肝	管	痛	顔	肝	便	中	色	血	肝
心	臓	痢	肝	状	痛	顔	症	顔	痛	心	症	腸	腎	症	便	痛	秘	胃	肝
胃	色	血	状	臓	便	肝	肝	心	秘	腎	管	痛	臓	毒	便	症	毒	管	血
状	秘	肺	頭	状	腸	心	血	心	便	腎	肝	秘	色	痢	管	毒	肺	状	腸
下	痛	管	状	肺	色	下	顔	胃	心	中	中	心	管	頭	状	便	状	腸	肺
痛	肺	胃	中	管	症	臓	肺	痢	痛	便	顔	肺	便	毒	心	頭	頭	痢	管
秘	下	腎	状	腎	頭	中	胃	秘	痢	毒	肝	毒	毒	頭	痢	胃	臓	便	腸

いちょう
胃腸 stomach and intestines

しんぞう
心臓 heart

じんぞう
腎臓 kidneys

はいぞう
肺臓 lungs

かんぞう
肝臓 liver

ずつう
頭痛 headache

けっかん
血管 blood vessel

べんぴ
便秘 constipation

げり
下痢 diarrhea

ちゅうどく
中毒 poisoning

かおいろ
顔色 complexion

しょうじょう
症状 symptoms

健康 Health 5番目

麻 体 温 外 平 食 不 寿 膚 整 安 形 行 形 良 寿 行 健 銀 疲
液 安 消 安 品 膚 平 行 健 命 良 楽 楽 伝 不 品 膚 安 整 健
死 伝 楽 消 老 楽 食 命 科 科 体 消 死 命 不 遺 液 銀 整 消
老 良 遺 寿 寿 化 康 寿 酔 膚 遺 均 伝 麻 銀 膚 膚 形 銀 良
行 遺 楽 膚 康 皮 康 均 消 温 消 消 科 康 酔 安 温 液 疲 労
楽 銀 良 良 形 麻 命 平 寿 銀 健 労 麻 伝 伝 良 温 疲 不 膚
健 外 液 麻 安 遺 寿 安 行 命 血 遺 康 伝 液 科 血 品 健 楽
労 遺 外 血 化 食 遺 品 酔 品 労 体 疲 液 麻 遺 康 康 銀 安
寿 液 膚 労 康 寿 皮 食 液 外 命 科 遺 麻 麻 消 化 不 良 液
科 膚 化 体 寿 科 整 康 行 楽 安 消 外 整 血 遺 麻 寿 化 形
整 整 外 膚 疲 血 銀 健 化 膚 不 銀 安 形 食 血 労 寿 形 楽
寿 寿 科 血 温 命 行 疲 楽 液 体 食 寿 酔 整 血 均 寿 消 遺
化 形 楽 遺 良 安 外 安 食 老 不 膚 皮 老 疲 老 酔 銀 均 酔
伝 皮 死 安 麻 寿 酔 労 消 麻 寿 液 食 液 行 皮 行 疲 疲 平
楽 命 不 健 楽 遺 温 液 血 品 消 死 品 消 温 死 不 銀 安 整

ひろう
疲労 fatigue

ますい
麻酔 anesthetic

たいおん
体温 body temperature

いでん
遺伝 heredity

しょうかふりょう
消化不良 indigestion

ひふ
皮膚 skin

ろうか
老化 aging

せいけいげか
整形外科 plastic surgery

けんこうしょくひん
健康食品 health food

あんらくし
安楽死 euthanasia

へいきんじゅみょう
平均寿命 average life span

けつえきぎんこう
血液銀行 blood bank

健康 Health 6番目

炎 血 病 折 毒 所 炎 折 梗 白 塞 白 染 皮 伝 保 骨 骨 病 生
所 健 保 炎 内 歯 険 病 健 筋 保 骨 染 膚 消 膚 険 内 生 染
肺 心 健 折 衛 血 保 病 伝 険 康 内 梗 折 心 折 炎 険 内 梗
膚 険 康 折 伝 塞 膚 心 折 筋 病 筋 消 衛 健 内 康 折 科 健
消 所 衛 科 炎 塞 健 染 生 梗 歯 険 伝 染 所 肺 伝 白 炎 折
消 皮 病 染 炎 康 折 内 筋 病 歯 病 染 肺 衛 膚 肺 消 塞 険
病 健 康 折 健 毒 塞 折 血 生 血 血 病 骨 筋 科 炎 塞 膚 肺
康 白 血 康 険 肺 康 病 炎 白 皮 消 炎 折 白 皮 生 塞 衛 衛
炎 病 皮 塞 膚 膚 白 健 筋 骨 険 衛 衛 所 塞 衛 保 膚 保 骨
皮 毒 膚 白 保 炎 血 衛 伝 膚 伝 保 骨 塞 病 歯 康 消 伝 衛
筋 保 科 康 心 炎 膚 健 険 生 心 衛 心 病 染 衛 毒 生 血 険
科 所 皮 白 伝 消 科 毒 塞 筋 骨 健 病 骨 科 白 毒 肺 梗 梗
歯 康 白 皮 険 科 険 染 梗 科 心 血 康 険 険 炎 膚 健 険 筋
伝 病 炎 膚 筋 所 所 塞 生 消 肺 血 健 保 白 皮 折 所 白 骨
康 険 所 健 歯 心 梗 梗 骨 血 衛 心 康 保 険 険 心 血 険 炎

けんこうほけん
健康保険 health insurance

しか
歯科 dentistry

ないか
内科 internal medicine

こっせつ
骨折 bone fracture

はっけつびょう
白血病 leukemia

はいえん
肺炎 pneumonia

しょうどく
消毒 disinfection

えいせい
衛生 hygiene

でんせんびょう
伝染病 epidemic

しんきんこうそく
心筋梗塞 heart attack

ひふか
皮膚科 dermatology

ほけんしょ
保健所 health center

健康 Health 7番目

吸 質 法 心 癌 質 死 放 害 医 呼 癌 人 脳 施 法 物 質 射 死
臓 死 理 学 療 法 士 癌 理 施 児 医 療 脳 人 科 呼 吸 防 脳
医 臓 予 施 小 射 放 質 質 防 癌 科 施 放 害 工 人 呼 図 質
癌 放 小 吸 医 射 療 設 予 体 理 器 心 防 射 質 呼 癌 器 身
化 工 線 工 線 予 体 質 質 電 児 心 医 死 害 施 工 吸 脳 法
電 害 障 体 身 小 物 心 体 線 質 発 心 施 児 発 化 小 呼 施
小 療 医 心 体 線 死 臓 電 学 物 脳 発 医 士 学 物 臓 害 癌
化 児 医 障 科 人 工 障 発 図 癌 療 工 器 療 防 小 物 器 体
法 電 科 質 射 理 施 脳 質 射 発 臓 心 法 害 施 理 電 士 予
人 士 法 工 工 線 障 射 障 防 電 臓 図 人 工 臓 器 電 器 癌
化 物 障 死 物 器 設 施 療 医 発 療 防 身 児 臓 障 防 法 医
児 小 呼 線 法 化 療 科 害 人 医 体 図 科 電 障 線 設 電 線
士 医 質 児 図 医 吸 医 学 害 死 臓 吸 理 発 吸 療 科 化 設
予 脳 施 化 死 心 発 人 化 吸 身 児 施 児 発 物 学 障 癌 呼
人 科 児 呼 学 癌 射 器 発 学 児 脳 予 射 死 工 化 法 電 死

しんたいしょうがい
身体障害 physical handicap

いりょうしせつ
医療施設 medical facilities

ほうしゃせん
放射線 radiation

じんこうこきゅう
人工呼吸 artificial respiration

じんこうぞうき
人工臓器 artificial organ

しょうにか
小児科 pediatrics

よぼう
予防 prevention

かがくりょうほう
化学療法 chemotherapy

しんでんず
心電図 electrocardiogram

のうし
脳死 brain death

りがくりょうほうし
理学療法士 physical therapist

はつがんぶっしつ
発癌物質 carcinogen

教育 Education 1番目

退 校 席 退 席 徒 学 育 中 退 育 高 出 小 校 験 中 教 験 席
室 留 生 小 試 試 中 生 退 等 高 育 校 学 学 欠 等 校 中 学
等 小 入 中 中 試 席 育 室 高 校 室 出 験 室 校 留 試 室 室
験 留 欠 等 等 験 席 試 等 席 小 学 育 中 席 留 留 欠 小 校
出 験 留 生 校 留 高 徒 等 小 徒 出 徒 校 席 校 小 高 小 欠
入 席 小 校 学 欠 徒 小 留 高 中 教 中 室 室 生 席 入 試 欠
退 等 室 席 学 学 欠 試 入 教 生 入 校 験 校 小 等 徒 教 退
室 入 育 校 生 験 小 入 徒 高 験 小 退 欠 等 等 徒 欠 退 入
学 席 校 退 生 等 生 入 高 室 留 徒 学 校 教 試 中 教 留 留
中 高 室 高 徒 教 席 等 出 験 験 席 学 徒 小 席 試 校 校 欠
生 試 退 等 験 室 学 試 中 生 欠 教 席 等 育 試 教 学 中 欠
入 高 徒 入 育 校 徒 出 校 高 中 験 験 等 高 欠 校 中 中 学
験 小 入 等 退 入 中 教 育 入 席 育 学 室 出 室 小 入 教 生
高 中 小 出 教 入 生 出 小 育 験 高 出 中 校 退 入 試 退 教
席 生 欠 生 退 試 小 入 校 欠 生 高 験 留 入 留 留 出 中 験

せいと
生徒 — student

しょうがっこう
小学校 — elementary school

ちゅうがっこう
中学校 — middle school

こうとうがっこう
高等学校 — high school

にゅうがく
入学 — entering school

たいがく
退学 — leaving school

しけん
試験 — examination

きょうしつ
教室 — classroom

きょういく
教育 — education

りゅうがく
留学 — studying abroad

しゅっせき
出席 — attendance

けっせき
欠席 — absence

教育 Education 2番目

業 稚 卒 者 稚 研 論 宿 園 宿 宿 立 修 業 園 文 立 学 幼 研
私 修 文 者 論 宿 国 論 幼 大 園 文 題 論 園 題 修 幼 論 題
大 国 幼 国 研 国 研 卒 国 業 幼 者 公 国 者 幼 稚 稚 論 修
園 大 稚 幼 研 大 宿 私 生 私 公 文 大 生 題 国 公 大 院 学
業 私 研 題 大 幼 国 修 業 大 卒 稚 公 公 題 公 大 題 公 業
園 業 私 修 公 題 修 業 業 宿 院 学 国 公 学 論 論 研 国 公
修 稚 大 院 学 私 稚 題 業 園 幼 公 宿 私 修 国 卒 立 園 者
国 幼 文 稚 研 国 生 題 公 卒 大 公 院 論 文 学 論 者 幼 私
院 修 公 幼 宿 論 生 修 者 大 稚 学 研 私 業 院 院 者 生 私
稚 題 園 院 幼 私 園 卒 公 私 卒 稚 院 者 大 園 題 立 者 生
大 稚 稚 卒 院 宿 立 論 生 私 研 公 研 公 題 卒 修 院 者 論
卒 修 者 大 公 修 修 大 幼 研 私 生 園 大 稚 論 論 園 稚 卒
国 国 生 私 私 国 文 院 題 幼 幼 稚 園 文 業 院 生 公 卒 文
大 公 卒 題 私 園 研 文 修 宿 研 者 私 幼 文 大 卒 学 立 学
学 園 国 公 園 業 宿 幼 生 院 立 園 学 園 者 国 私 幼 卒 学

だいがく	大学	university, college
がくせい	学生	university student
こうりつ	公立	public
しりつ	私立	private
こくりつ	国立	national, state
だいがくいん	大学院	graduate school
そつぎょう	卒業	graduation
ようちえん	幼稚園	kindergarten
しゅくだい	宿題	homework
けんしゅう	研修	training
ろんぶん	論文	thesis, paper
がくしゃ	学者	scholar

教育 Education 3番目

師	師	義	義	施	材	施	師	理	理	学	社	講	業	国	師	理	理	師	地
理	業	外	外	施	語	授	外	外	授	歴	地	講	業	施	学	料	外	科	地
数	文	料	教	業	論	設	科	社	卒	講	史	材	講	史	会	地	業	科	講
理	数	社	学	師	料	授	歴	論	材	講	学	施	業	史	料	会	材	授	師
設	論	卒	国	学	授	国	義	授	学	授	会	卒	数	理	業	料	史	論	理
文	業	国	外	科	業	講	教	師	学	卒	業	論	文	語	師	施	施	卒	地
卒	授	料	科	材	論	講	卒	業	業	地	業	施	卒	施	外	卒	師	数	地
師	材	論	論	授	文	材	史	業	材	国	論	学	歴	材	語	卒	材	文	会
授	科	外	材	数	料	地	論	業	業	理	外	料	会	師	施	授	業	学	義
施	国	史	教	料	設	国	文	歴	業	国	外	国	設	授	理	施	義	業	史
語	学	義	卒	卒	地	材	講	卒	師	義	文	料	師	義	社	設	授	社	教
外	社	業	教	地	文	社	歴	教	会	外	設	料	学	設	会	科	授	文	数
設	史	料	史	地	施	授	教	教	講	外	語	学	歴	会	卒	施	会	材	科
論	史	理	設	師	数	業	文	学	料	国	地	材	語	義	史	国	卒	施	会
設	国	数	教	地	施	学	外	国	地	教	語	語	外	国	師	社	学	歴	歴

がいこくご
外国語 foreign language

すうがく
数学 mathematics

しゃかい
社会 social studies

ちり
地理 geography

りか
理科 science

れきし
歴史 history

そつぎょうろんぶん
卒業論文 graduation thesis

きょうざい
教材 teaching materials

じゅぎょうりょう
授業料 tuition

しせつ
施設 facility

こうぎ
講義 lecture

こうし
講師 lecturer

教育 Education 4番目

入 書 験 課 長 教 図 学 入 学 学 図 績 教 期 験 学 績 館 試
育 学 績 教 試 期 書 員 程 証 入 授 学 教 績 証 績 験 績 育
証 績 験 長 長 績 課 館 入 教 育 試 験 績 授 長 授 験 長 績
入 証 位 図 位 位 校 員 員 績 長 課 位 入 問 績 書 成 校 育
館 験 館 員 試 程 位 位 員 員 期 証 課 績 書 書 教 教 成 館
学 験 試 学 入 績 課 験 育 授 成 位 程 入 図 長 館 育 試 証
課 授 校 成 証 期 入 期 期 館 位 館 験 学 教 書 程 課 績 証
学 証 験 校 課 課 授 成 員 試 図 教 程 教 図 図 長 程 長 証
校 入 教 期 書 館 学 程 程 授 程 長 図 績 学 位 試 証 課 課
図 証 位 期 成 課 期 育 館 長 課 館 期 館 育 課 入 績 試 課
験 程 程 位 成 員 育 校 課 図 図 課 成 長 館 程 問 図 課 成
員 証 育 期 館 課 入 授 程 課 証 校 験 学 成 長 程 試 授 成
証 成 入 教 育 育 試 入 入 学 授 証 程 教 教 書 図 学 証 験
館 員 入 位 証 学 績 学 験 試 図 図 長 問 課 期 校 問 証 館
員 長 員 入 育 試 成 入 教 学 育 験 書 授 長 課 験 入 書 育

がくちょう
学長 school president

こうちょう
校長 principal

きょうじゅ
教授 professor

きょういん
教員 teacher

がっき
学期 school term

にゅうがくしけん
入学試験 entrance examination

としょかん
図書館 library

がくい
学位 degree

せいせき
成績 grades

しょうしょ
証書 diploma

がくもん
学問 academic studies

きょういくかてい
教育課程 curriculum

教育 Education 5番目

気	電	政	気	洋	心	本	経	史	物	電	文	化	洋	気	史	工	心	化	西
採	経	本	西	理	天	史	電	経	電	天	採	電	日	生	生	生	採	生	電
文	生	史	洋	日	政	工	日	工	本	気	本	政	天	採	政	済	洋	化	生
理	物	日	心	日	済	採	学	理	心	天	工	点	電	生	生	電	理	化	治
日	学	工	文	工	電	理	済	工	政	電	点	学	洋	化	西	天	天	工	史
洋	政	済	治	学	気	日	点	済	政	経	生	物	本	点	治	工	理	点	本
工	理	史	電	物	心	学	済	気	電	政	史	心	政	生	史	日	文	経	日
天	学	気	理	理	史	西	学	気	西	生	化	点	本	政	政	洋	工	物	政
政	点	治	生	点	経	洋	理	学	史	採	政	電	理	採	採	学	気	西	生
理	本	点	政	採	本	史	治	日	理	日	電	西	採	政	治	文	西	西	政
気	西	化	済	物	心	本	西	済	点	本	物	工	史	天	理	天	史	西	採
学	化	気	物	文	政	学	心	西	物	理	学	理	経	日	生	電	文	本	心
済	電	心	洋	天	本	工	採	文	採	史	洋	史	採	理	経	化	化	化	政
電	学	政	経	済	学	洋	工	生	治	気	電	洋	政	文	治	化	日	洋	工
心	西	治	学	電	物	天	本	日	採	治	本	化	洋	洋	物	天	点	電	物

けいざいがく
経済学 economics

せいじがく
政治学 political science

かがく
化学 chemistry

ぶんがく
文学 literature

しんりがく
心理学 psychology

でんきこうがく
電気工学 electrical engineering

てんもんがく
天文学 astronomy

にほんし
日本史 Japanese history

せいようし
西洋史 Western history

ぶつりがく
物理学 physics

せいぶつがく
生物学 biology

さいてん
採点 grading

教育 Education 6番目

数	論	学	語	歯	哲	史	歯	哲	精	語	社	学	語	言	数	哲	代	言	地
哲	言	言	会	理	理	哲	社	言	質	薬	代	語	代	理	洋	病	神	質	語
会	病	代	言	神	地	言	精	言	会	論	言	病	質	理	史	質	史	論	論
歯	会	史	語	哲	学	質	精	言	理	理	洋	語	洋	言	語	薬	質	地	論
社	薬	史	歯	語	論	質	語	言	薬	代	論	社	哲	語	数	語	薬	会	言
史	薬	東	精	数	理	論	東	理	質	論	学	東	語	史	理	数	語	歯	学
史	論	理	学	精	歯	東	神	会	理	質	地	語	洋	東	語	社	語	論	洋
地	会	東	言	洋	歯	言	神	語	社	病	会	東	神	地	洋	東	薬	史	洋
歯	言	薬	神	東	会	神	代	代	洋	薬	史	社	学	病	論	東	代	数	病
神	語	哲	数	学	学	質	史	精	洋	数	病	論	理	東	精	病	学	言	論
薬	洋	会	数	数	洋	地	東	代	質	精	神	史	歯	代	史	東	語	精	神
学	代	薬	病	代	洋	理	論	薬	論	論	精	質	洋	言	東	社	病	東	社
代	質	社	質	地	数	学	代	数	史	論	病	学	理	数	語	論	史	語	東
理	歯	精	神	病	学	数	質	社	歯	代	病	質	学	神	史	社	会	学	東
社	理	神	言	理	語	数	論	質	地	史	地	地	洋	言	洋	質	理	社	東

しゃかいがく
社会学 sociology

ちりがく
地理学 geography

しがく
史学 history

てつがく
哲学 philosophy

げんごがく
言語学 linguistics

しがく
歯学 dentistry

ちしつがく
地質学 geology

ろんりがく
論理学 logic

やくがく
薬学 pharmacology

せいしんびょうがく
精神病学 psychiatry

だいすうがく
代数学 algebra

とうようし
東洋史 Asian history

教育 Education 7番目

員 科 校 授 目 攻 研 旅 予 授 考 研 科 金 研 研 授 庭 旅 究
教 科 旅 書 考 校 庭 細 目 奨 予 攻 細 校 教 修 参 修 教 予
書 修 金 細 金 参 究 攻 参 修 攻 家 教 書 講 専 師 奨 堂 庭
講 修 究 学 師 科 研 考 家 授 考 攻 学 細 備 書 室 細 堂 授
書 専 室 考 室 書 師 攻 講 科 科 参 学 修 攻 堂 科 考 行 学
師 奨 奨 細 研 修 修 究 細 講 授 家 旅 考 校 書 金 教 攻 究
目 学 修 師 攻 書 家 金 考 科 行 備 備 科 授 細 備 究 授 攻
庭 金 員 予 究 学 堂 学 室 細 学 目 家 細 備 堂 目 考 科 堂
授 教 考 行 攻 攻 備 目 攻 修 修 予 校 金 教 校 参 研 校 科
旅 室 奨 細 備 予 備 校 員 書 校 備 師 金 員 書 教 予 講 金
研 細 校 教 校 教 修 学 考 家 旅 究 行 員 室 考 究 堂 考 室
奨 教 師 行 旅 学 修 備 学 校 庭 金 科 攻 攻 書 行 行 細 庭
家 奨 授 講 行 員 奨 旅 目 攻 家 教 行 行 考 科 細 教 専 講
室 講 攻 細 専 奨 書 学 奨 究 書 研 師 参 攻 研 専 家 校 奨
室 専 教 室 目 書 修 室 専 金 専 家 師 奨 金 師 細 参 校 書

かていきょうし
家庭教師 home tutor

きょうかしょ
教科書 textbook

きょういんしつ
教員室 teachers' room

きょうじゅほそめ
教授細目 syllabus

けんきゅう
研究 research

しゅうがくりょこう
修学旅行 school trip

せんこう
専攻 major

こうどう
講堂 lecture hall

よびこう
予備校 preparatory school

がっか
学科 course

さんこうしょ
参考書 reference book

しょうがくきん
奨学金 scholarship

科学 Science 1番目

電	放	胞	炉	学	物	学	射	生	伝	実	放	物	能	実	学	実	放	技	原
原	験	能	形	子	学	学	生	科	力	実	射	細	物	水	生	技	細	素	生
術	炉	原	物	子	伝	遺	術	伝	伝	電	科	遺	実	力	放	炉	図	術	放
能	射	力	炉	炉	射	図	放	原	細	形	子	生	術	炉	学	原	胞	子	子
科	炉	物	形	形	射	胞	験	子	形	水	力	射	水	細	技	原	力	原	図
生	胞	術	実	水	遺	遺	科	能	子	図	電	遺	伝	形	生	形	原	子	細
術	炉	力	胞	遺	細	炉	能	射	胞	生	射	験	素	能	技	胞	能	遺	放
細	遺	射	子	伝	射	原	図	素	炉	図	細	物	力	図	図	能	能	科	形
能	子	素	技	遺	物	科	図	験	素	学	子	水	技	能	技	遺	細	物	胞
実	術	原	射	炉	物	術	験	験	射	素	遺	伝	図	水	科	実	胞	力	素
子	科	放	子	技	能	技	科	電	伝	細	射	物	射	原	細	射	物	炉	射
科	験	原	胞	伝	実	科	技	物	遺	放	放	伝	生	子	術	子	素	形	伝
術	実	能	伝	水	原	細	原	細	子	射	遺	水	科	実	細	科	子	生	力
放	電	能	図	遺	力	実	子	物	力	能	電	技	素	学	技	素	素	放	電
原	学	素	伝	射	実	水	力	術	形	学	細	図	遺	射	原	生	子	射	電

かがく
科学 science

せいぶつ
生物 organism

さいぼう
細胞 cell

いでんし
遺伝子 gene

でんし
電子 electron

ぎじゅつ
技術 technology

げんしろ
原子炉 nuclear reactor

げんしりょく
原子力 atomic energy

じっけん
実験 experiment

ずけい
図形 diagram

ほうしゃのう
放射能 radioactivity

すいそ
水素 hydrogen

科学 Science 2番目

能 先 波 核 宇 学 工 命 生 宙 学 生 先 先 能 理 合 術 技 原
学 生 核 先 情 工 学 報 宙 術 工 合 発 核 報 理 先 人 端 宙
人 技 能 波 先 報 命 核 発 術 電 処 開 核 発 学 合 発 融 原
電 電 先 処 器 命 革 機 情 合 融 報 融 端 端 端 生 報 報 融
革 開 原 報 宇 生 学 命 理 融 学 生 命 情 報 機 宇 技 機 技
革 機 電 宙 革 端 先 能 核 端 生 技 融 核 波 技 人 命 融 工
工 宙 開 原 技 原 学 情 発 技 人 器 生 器 電 発 報 宇 工 先
原 発 端 技 機 宙 発 核 核 工 宇 融 能 宇 理 先 器 発 宇 機
電 融 核 報 学 機 機 能 端 情 発 核 生 核 合 機 処 端 情 核
工 電 発 器 工 核 情 合 融 核 宙 器 理 宇 開 電 宙 先 合 開
技 生 合 宇 学 波 宇 宇 端 宇 技 能 宇 処 電 術 端 宙 学 先
命 開 学 人 発 工 端 報 革 学 命 技 術 端 端 技 理 命 理 工
機 端 情 波 理 先 核 能 学 宇 能 先 開 発 術 処 生 能 革 機
理 生 能 工 報 核 先 生 電 融 宇 人 宙 情 報 工 開 工 原 核
合 端 工 端 端 宇 開 理 術 理 発 人 理 情 工 合 波 理 宇 電

うちゅう
宇宙 outer space

じょうほうかくめい
情報革命 information revolution

でんぱ
電波 radio wave, mobile phone signal

じょうほうしょり
情報処理 information processing

うちゅうかいはつ
宇宙開発 space development

せいめいこうがく
生命工学 biotechnology

せんたんぎじゅつ
先端技術 high tech

かくゆうごう
核融合 nuclear fusion

きき
機器 device, equipment

きのう
機能 feature, function

じんこう
人工 artificial

げんり
原理 scientific law

産業 Industry 1番目

穫 設 民 用 源 用 地 産 穫 加 資 穫 資 利 用 収 民 生 源 地
加 加 業 建 場 利 穫 源 加 建 地 土 穫 建 資 工 資 穫 設 場
加 設 収 利 利 生 場 土 源 穫 産 穫 業 産 民 工 用 地 産 加
土 建 業 源 収 生 用 建 工 利 工 建 地 源 源 源 農 収 用 場
源 建 源 土 農 設 源 源 土 収 用 地 資 加 農 産 収 用 農 設
業 民 収 工 地 産 農 地 生 場 源 農 利 農 土 用 民 収 加 土
収 工 資 工 民 資 農 収 収 利 利 源 用 工 収 地 建 収 資 用
加 土 生 土 設 収 地 建 収 産 工 民 用 工 土 土 加 利 産 資
加 資 生 設 業 資 工 建 場 収 収 産 源 地 民 地 源 利 資 産
建 場 地 用 穫 土 用 建 業 土 農 農 収 加 民 利 穫 工 農 収
工 建 業 設 場 地 地 生 民 地 産 利 業 民 源 用 収 利 土 地
資 土 生 民 資 加 設 業 生 用 産 土 用 場 設 加 建 農 収 工
農 設 場 場 民 業 地 業 設 設 資 設 生 源 民 場 民 土 地 源
収 土 土 業 資 建 収 収 設 民 場 生 土 生 源 収 収 資 農 農
収 利 源 業 用 収 加 民 設 土 設 穫 地 建 産 民 土 利 農 収

かこう
加工 manufacturing

せいさん
生産 production

さんぎょう
産業 industry

こうぎょう
工業 manufacturing industry

こうじょう
工場 factory

しげん
資源 resources

のうぎょう
農業 agriculture

しゅうかく
収穫 harvest, crop

のうじょう
農場 farm

のうみん
農民 farmers

とちりよう
土地利用 land use

けんせつ
建設 construction

産業 Industry　2番目

地 造 製 家 地 業 炭 地 鉱 畜 林 林 坑 林 家 鋼 家 炭 製 鋼
石 材 炭 鉄 地 炭 鉄 製 木 坑 農 石 坑 木 炭 農 産 家 物 製
鉱 畜 鉄 産 物 石 家 林 林 山 材 主 鉄 家 鉱 石 林 木 家 地
炭 物 坑 業 造 鉱 鋼 産 石 坑 畜 業 業 地 鉱 産 造 造 山 農
山 製 石 地 造 地 地 鋼 坑 地 材 炭 畜 山 坑 鉄 鉱 鋼 業 製
主 木 林 産 石 地 材 物 林 林 山 鋼 石 山 石 産 材 鋼 山 家
農 主 産 物 鋼 炭 鉄 物 家 山 炭 林 主 主 木 農 製 材 造 坑
家 木 製 産 製 炭 産 鋼 炭 主 材 主 木 産 産 林 製 産 産 石
材 農 物 地 鉄 農 農 産 坑 農 製 家 林 鋼 林 林 坑 鉱 木 地
林 炭 産 造 産 木 鉱 林 山 地 石 家 造 地 鋼 農 物 物 鋼 業
鉄 製 鉱 地 地 製 石 農 材 炭 炭 鉱 地 家 山 家 鋼 畜 林 主
山 製 主 造 鋼 地 地 坑 石 産 農 石 石 石 石 鋼 林 造 農 鉱
物 石 物 産 鉱 家 鉱 鉄 地 林 家 木 業 鉄 物 鉱 林 主 鉱 林
鋼 造 畜 農 家 産 炭 製 鉄 地 山 鋼 鉱 石 林 物 鉄 畜 造 産
造 炭 山 物 炭 業 主 製 業 炭 山 産 木 造 家 物 家 材 石 鉱

こうぎょう
鉱業　mining industry

てっこう
鉄鋼　steel

たんこう
炭坑　coal mine

こうざん
鉱山　mine

てっこうせき
鉄鉱石　iron ore

せいぞう
製造　manufacture

じぬし
地主　land owner

りんぎょう
林業　forestry

もくざい
木材　lumber

のうさんぶつ
農産物　agricultural products

ちくさん
畜産　animal husbandry

かちく
家畜　livestock

産業 Industry 3番目

工	金	属	小	燃	大	地	機	料	理	農	農	金	大	作	地	機	修	理	耕
金	大	牧	は	地	理	業	物	は	理	麦	肥	穀	か	麦	地	は	場	機	穀
穀	工	は	場	農	有	牧	金	小	か	業	有	業	牧	は	場	料	機	金	工
牧	麦	穀	穀	業	小	肥	は	属	農	肥	修	穀	穀	肥	機	耕	か	業	穀
修	料	麦	作	肥	耕	有	だ	穀	工	修	地	作	有	属	だ	大	物	業	燃
機	牧	か	か	物	小	肥	地	場	工	業	肥	は	地	は	農	金	農	業	か
物	肥	牧	麦	料	料	穀	作	地	は	修	金	修	穀	耕	修	機	機	は	だ
耕	地	穀	理	麦	牧	牧	牧	は	は	場	か	修	業	作	有	地	穀	作	だ
機	場	場	作	有	作	有	耕	料	作	農	工	農	牧	料	小	料	工	燃	作
理	穀	修	有	穀	作	小	耕	小	物	機	燃	は	物	小	小	料	地	理	穀
耕	工	業	小	地	牧	金	属	工	穀	は	作	だ	料	小	料	穀	耕	機	小
理	物	業	修	料	だ	は	大	業	牧	は	業	機	だ	作	場	農	理	物	金
機	作	だ	燃	作	穀	だ	物	肥	物	牧	だ	理	麦	工	小	麦	属	理	物
工	場	地	金	属	地	か	耕	は	牧	は	金	地	は	業	地	作	か	か	肥
大	場	料	理	物	業	物	工	工	燃	物	工	肥	麦	有	麦	か	だ	は	麦

ぼくじょう
牧場 pasture

のうち
農地 agricultural land

こくもつ
穀物 grain

こむぎ
小麦 wheat

はだかむぎ
はだか麦 rye

おおむぎ
大麦 barley

ゆうきのうぎょう
有機農業 organic farming

ひりょう
肥料 fertilizer

しゅうり
修理 repair

きんぞくこうぎょう
金属工業 metal industry

こうさく
耕作 cultivation

ねんりょう
燃料 fuel

産業 Industry 4番目

豊 鯨 水 物 価 木 属 電 電 金 食 物 電 物 豊 豆 物 物 作 属
金 主 大 木 水 食 食 価 糖 物 米 捕 食 木 砂 土 食 産 価 水
捕 作 産 主 作 大 物 属 業 物 捕 力 豊 砂 業 砂 捕 織 大 豊
大 価 産 糖 糖 水 業 食 価 水 金 業 捕 業 主 力 水 土 糖 産
鯨 織 主 豆 米 鯨 電 土 木 業 土 力 主 物 米 豊 織 豆 織 主
電 属 水 金 物 鯨 大 物 金 物 砂 金 米 豊 物 米 電 土 豊 価
木 電 砂 電 作 物 作 米 捕 木 砂 電 木 捕 属 電 業 主 土 主
捕 食 大 米 力 鯨 産 糖 水 業 捕 水 作 属 作 属 水 主 捕 糖
力 木 豊 業 米 砂 価 水 食 金 作 価 豆 土 属 電 織 食 織 砂
水 属 主 物 価 水 金 食 産 力 価 作 価 作 捕 豆 水 大 豊 主
大 鯨 鯨 電 電 豊 織 米 業 大 水 電 鯨 主 大 捕 産 産 業 金
食 産 物 物 食 食 大 土 鯨 作 価 物 電 鯨 物 豊 鯨 大 業 捕
水 織 大 捕 業 鯨 価 鯨 豆 水 電 属 米 物 電 糖 主 木 産 金
砂 米 大 電 米 砂 水 金 力 価 電 豊 豆 業 電 電 鯨 電 豆 豆
鯨 木 豊 作 主 土 属 糖 糖 糖 大 水 力 米 織 電 大 作 土 米

でんりょく
電力 electrical power

きんぞく
金属 metal

すいさんぎょう
水産業 fishery

だいず
大豆 soy beans

べいか
米価 market price of rice

ほうさく
豊作 good harvest

しゅしょく
主食 staple foods

すいさんぶつ
水産物 marine products

ほげい
捕鯨 whaling

おりもの
織物 textiles

さとう
砂糖 sugar

どぼく
土木 public works

産業 Industry 5番目

機	在	農	生	業	造	約	生	工	契	漁	業	造	料	庫	石	量	舶	食	在
造	業	産	生	肥	学	食	舶	学	油	薬	機	約	舶	品	肥	生	農	在	舶
造	船	機	海	生	船	約	料	薬	工	産	食	石	在	造	薬	化	大	械	化
品	約	漁	薬	庫	近	大	学	量	化	農	化	契	量	油	業	漁	海	近	食
漁	石	業	工	船	舶	量	造	化	量	契	品	産	漁	造	品	舶	料	庫	食
大	業	量	料	食	工	化	肥	学	産	農	造	量	業	造	肥	油	約	海	海
学	石	大	大	産	学	漁	品	肥	生	料	約	大	業	近	農	造	薬	食	在
海	海	学	薬	工	化	漁	近	料	近	近	船	造	業	契	契	業	漁	量	工
海	学	産	業	農	学	油	近	油	石	業	化	機	契	農	産	械	食	量	量
業	大	学	契	化	大	漁	肥	肥	海	肥	学	約	薬	近	在	薬	化	石	約
学	約	舶	産	約	農	農	生	学	近	産	農	大	庫	船	食	在	約	石	在
料	機	契	舶	生	料	造	生	海	庫	業	産	械	農	近	生	品	在	械	契
機	料	薬	肥	生	舶	海	械	化	食	庫	生	船	近	船	契	船	近	舶	料
械	漁	船	工	在	海	学	庫	造	料	在	量	料	農	肥	学	油	食	石	食
業	生	産	機	肥	業	大	庫	庫	石	肥	大	契	在	機	契	料	在	約	船

せんぱく
船舶 vessel

ぞうせん
造船 shipbuilding

きんかいぎょぎょう
近海漁業 coastal fishery

けいやくのうぎょう
契約農業 contract farming

せきゆ
石油 petroleum

しょくひん
食品 foods

たいりょうせいさん
大量生産 mass production

かがくひりょう
化学肥料 chemical fertilizer

きかい
機械 machines

かがくこうぎょう
化学工業 chemical industry

ざいこ
在庫 inventory

やくひん
薬品 drugs, medicine

産業 Industry 6番目

精	倉	錬	物	品	料	食	林	理	植	理	植	錬	庫	農	織	品	理	品	給
物	農	製	品	理	管	業	工	倉	庫	電	工	食	維	工	植	農	宙	管	給
給	錬	宇	林	給	械	理	織	品	錬	林	織	業	物	倉	織	庫	錬	織	倉
林	宇	電	庫	織	産	林	自	植	綿	宙	織	工	食	錬	気	品	製	電	給
精	織	製	産	錬	倉	自	電	気	製	宙	林	械	質	家	農	物	維	綿	庫
理	製	管	植	維	料	理	食	植	業	料	製	機	錬	機	質	農	宙	業	理
植	質	自	物	品	給	製	気	電	業	倉	倉	宙	綿	気	製	物	給	械	庫
工	給	理	械	錬	械	家	綿	織	質	家	家	業	織	工	自	倉	農	管	料
植	物	維	宇	庫	家	食	製	物	料	品	産	錬	機	織	林	製	電	質	倉
械	産	業	庫	理	工	錬	管	織	織	管	庫	業	電	林	林	理	機	品	管
械	物	自	産	宙	給	宇	精	綿	家	質	食	自	気	食	宇	維	業	織	理
品	電	物	質	宙	機	農	管	質	理	織	産	物	製	産	精	質	物	給	産
質	織	品	維	林	宇	宇	食	品	料	気	製	植	品	電	精	庫	錬	理	織
管	錬	織	機	宇	料	林	植	錬	維	産	精	理	織	業	家	業	農	品	維
理	食	林	電	工	械	農	物	宙	食	機	給	産	品	綿	精	宇	機	庫	維

めんおりもの
綿織物 cotton textiles

きかいこうぎょう
機械工業 machinery industry

そうこ
倉庫 warehouse

せいれん
精錬 refining, smelting

せんい
繊維 fiber, texture

でんきせいひん
電気製品 electronics

しょくりょうひん
食料品 foodstuffs

ひんしつかんり
品質管理 quality control

うちゅうさんぎょう
宇宙産業 space industry

のうか
農家 farming family

じきゅう
自給 self-sufficiency

しょくりん
植林 afforestation

雇用 Employment 1番目

人	職	者	金	退	者	進	就	実	就	用	退	実	合	賃	人	進	者	用	職
合	労	賃	質	就	合	職	雇	業	就	合	者	労	勤	昇	辞	辞	勤	給	用
人	質	雇	退	昇	質	勤	進	者	実	昇	金	人	退	勤	昇	求	給	金	組
実	勤	就	実	組	求	職	労	労	業	進	合	辞	業	勤	賃	者	金	退	組
人	用	実	進	組	労	者	給	人	業	辞	求	組	労	実	雇	求	就	用	賃
給	実	賃	退	者	勤	金	職	合	人	実	者	退	質	合	金	求	求	者	雇
勤	用	質	賃	進	就	労	給	者	質	者	賃	質	勤	進	用	進	者	就	求
質	賃	人	職	者	者	組	退	辞	辞	質	職	進	給	職	労	職	金	合	労
業	合	職	組	実	就	辞	組	賃	者	人	職	勤	退	質	質	給	職	賃	合
給	辞	用	質	労	用	用	労	辞	合	給	金	勤	者	合	質	勤	組	給	退
就	金	昇	人	労	昇	合	勤	雇	勤	労	給	給	雇	実	給	金	用	給	退
給	雇	金	者	雇	金	労	金	就	質	給	業	雇	実	人	者	勤	人	組	給
給	求	組	人	合	雇	実	雇	金	者	用	金	金	給	職	業	給	就	進	辞
合	求	業	求	賃	退	辞	退	求	組	人	者	労	労	労	金	昇	人	退	就
雇	求	雇	業	辞	退	金	就	退	雇	組	用	就	雇	合	雇	退	実	雇	業

こよう
雇用 employment

しゅうしょく
就職 finding employment

きゅうじん
求人 job offers

じっしつちんぎん
実質賃金 real wages

しょうしん
昇進 promotion

きんろうしゃ
勤労者 worker

くみあい
組合 union

ちんぎん
賃金 wages

しょうきゅう
昇給 wage increase

じしょく
辞職 resignation

たいしょく
退職 retirement

しょくぎょう
職業 occupation

雇用 Employment 2番目

働 勤 残 社 議 業 時 労 失 約 勤 労 約 業 社 争 人 勤 償 工
理 社 人 時 収 契 償 補 約 間 工 失 契 償 約 間 残 約 工 社
償 業 時 残 収 整 勤 工 整 間 働 残 整 年 人 争 補 整 社 理
収 間 臨 労 償 収 時 場 員 間 年 業 職 勤 働 整 員 勤 時 収
理 労 場 臨 失 争 働 整 理 働 職 収 勤 議 業 社 議 補 収 残
契 工 議 年 場 員 補 工 業 務 時 整 残 約 時 時 務 理 人 議
労 社 工 場 人 務 勤 約 労 勤 残 失 労 臨 契 収 約 員 整 工
補 契 場 償 労 員 場 務 社 年 残 務 残 働 働 社 間 年 社 臨
契 失 年 員 年 争 整 補 時 社 議 臨 臨 時 職 失 残 臨 残 失
収 議 働 働 契 職 補 理 場 間 働 収 臨 員 整 時 人 工 工 工
議 人 勤 年 時 労 時 争 補 務 議 人 働 人 勤 失 争 工 務 理
臨 臨 働 補 間 働 補 補 働 議 務 契 契 員 時 時 工 議 間 働
人 務 社 勤 理 契 業 働 補 間 勤 償 勤 議 人 社 労 整 収 働
争 理 勤 臨 働 約 場 時 時 働 議 約 間 失 約 場 償 労 臨 職
員 場 業 失 整 働 収 職 契 理 収 職 争 社 償 整 議 勤 残 社

ほしょう
補償 compensation

そうぎ
争議 strike

きんむじかん
勤務時間 working hours

りんじしゃいん
臨時社員 temporary worker

しつぎょう
失業 unemployment

ねんしゅう
年収 annual income

しょくば
職場 workplace

ろうどう
労働 labor

ざんぎょう
残業 overtime work

こういん
工員 worker

ろうどうけいやく
労働契約 labor contract

じんいんせいり
人員整理 personnel reduction

雇用 Employment 3番目

残	年	料	労	年	織	金	害	織	労	件	件	件	序	業	手	残	料	業	条
幹	者	働	幹	労	働	災	害	功	当	残	金	織	列	列	求	任	件	部	序
残	列	列	列	職	働	者	職	初	労	手	残	功	条	序	求	働	災	給	災
法	災	者	労	残	求	部	職	求	幹	害	務	害	業	功	給	当	法	手	手
求	列	業	職	働	法	件	業	求	務	給	残	織	件	年	業	列	働	年	求
手	初	料	序	職	条	残	任	条	序	料	列	給	業	務	者	件	件	者	労
給	条	料	法	件	任	件	働	料	織	序	残	務	任	務	給	任	初	年	労
任	功	者	者	害	業	働	者	織	残	条	業	法	料	織	労	者	当	職	件
給	金	初	列	当	金	給	序	務	条	年	求	初	残	業	手	当	災	求	害
害	条	組	料	働	織	列	部	残	部	件	料	料	当	料	働	給	法	件	給
任	組	条	条	災	列	給	金	任	功	件	功	働	初	年	者	給	序	組	列
料	者	年	業	列	年	初	序	織	法	条	年	部	料	功	害	労	害	織	条
任	部	法	年	列	働	件	条	働	者	初	序	幹	務	金	織	織	列	部	初
件	者	求	料	金	部	金	労	害	部	部	害	災	働	職	部	働	職	務	金
組	料	任	者	序	手	初	労	災	法	給	手	法	年	組	年	当	残	組	当

ろうどうほう
労働法 labor law

ろうどうさいがい
労働災害 work accident

ざんぎょうてあて
残業手当 overtime pay

しょにんきゅう
初任給 starting salary

ねんきん
年金 pension

そしき
組織 organization

ろうむ
労務 manual labor

かんぶ
幹部 executive staff

ねんこうじょれつ
年功序列 seniority ranking

ろうどうじょうけん
労働条件 working conditions

きゅうりょう
給料 pay, salary

きゅうしょくしゃ
求職者 jobseeker

逓信 Communications 1番目

誌	局	電	送	送	情	月	月	情	通	出	気	刊	者	局	放	報	庫	者	生
月	庫	演	文	庫	本	月	者	刊	送	文	情	放	誌	電	刷	著	信	情	文
信	誌	著	刊	出	気	本	報	信	誌	演	信	通	演	誌	本	気	著	電	出
刊	演	月	本	報	局	誌	月	刊	印	者	演	著	通	文	刷	版	演	版	月
誌	生	電	刷	報	気	文	放	出	出	月	局	文	本	生	文	月	刷	演	通
刷	気	信	出	庫	信	局	局	電	誌	信	情	信	情	信	著	信	月	印	電
局	者	電	報	放	印	通	送	通	文	刷	者	誌	印	刊	信	報	演	情	送
庫	演	出	月	刊	演	演	局	放	出	報	情	刊	誌	印	版	本	本	演	電
局	気	送	誌	報	信	情	局	著	文	気	演	印	放	版	通	月	者	者	刊
通	版	情	月	者	印	者	月	気	情	通	送	印	本	局	生	出	信	信	文
版	刊	生	者	局	刊	生	出	電	著	者	通	局	放	通	信	本	信	月	誌
気	誌	通	出	者	局	刷	電	文	誌	印	情	刷	本	報	文	生	通	情	本
送	気	信	本	庫	局	送	刊	刷	出	放	生	信	庫	報	放	誌	気	送	送
出	送	生	気	刊	電	刊	庫	報	月	生	放	送	気	著	信	気	電	版	月
放	刷	気	本	者	出	文	通	出	局	気	信	誌	演	放	生	出	月	誌	情

じょうほう
情報 information

ちょしゃ
著者 author

ぶんこぼん
文庫本 paperback

ほうそう
放送 broadcasting

しゅっぱん
出版 publishing

でんぽう
電報 telegram

でんきつうしん
電気通信 telecommunication

げっかんし
月刊誌 monthly magazine

いんさつ
印刷 printing

なまほうそう
生放送 live broadcast

しゅつえん
出演 performance

ほうそうきょく
放送局 broadcasting station

逓信 Communications 2番目

作	録	送	紙	引	星	権	集	間	刊	週	星	目	星	週	次	作	行	索	週
集	信	紙	次	星	週	全	著	著	引	単	送	通	引	放	光	間	表	引	週
刊	集	単	音	衛	衛	行	信	表	刊	行	引	衛	録	表	単	全	画	録	作
単	送	目	著	送	著	星	本	行	送	作	目	集	次	紙	引	本	行	著	送
音	音	刊	引	放	索	音	全	著	紙	通	作	単	権	音	紙	引	放	行	誌
紙	星	紙	集	週	単	間	衛	次	刊	衛	民	信	送	権	行	週	集	画	行
週	索	光	引	本	音	放	光	索	単	録	間	放	作	信	行	目	週	誌	通
送	送	通	画	星	民	音	単	目	民	集	放	著	録	録	民	目	権	録	間
引	権	信	送	目	権	作	送	誌	目	録	送	索	送	目	通	著	表	刊	目
行	光	録	星	録	光	星	行	次	送	音	信	行	放	誌	衛	集	間	録	録
民	信	信	間	信	刊	行	紙	権	間	信	星	集	単	衛	本	単	放	権	全
衛	単	行	本	通	音	著	著	通	星	通	作	作	録	行	集	衛	信	画	権
誌	送	送	本	索	民	著	表	信	信	信	送	本	放	行	集	放	誌	信	本
本	索	送	刊	通	録	光	刊	行	衛	間	次	画	放	送	権	刊	引	衛	星
権	権	権	音	行	民	単	著	間	放	光	週	作	索	本	週	音	誌	録	刊

しゅうかんし
週刊誌 — weekly magazine

ろくが
録画 — video recording

ろくおん
録音 — recording

みんかんほうそう
民間放送 — commercial broadcasting

ひょうし
表紙 — cover

ぜんしゅう
全集 — collected works

ちょさくけん
著作権 — copyright

ひかりつうしん
光通信 — optical communication

ほうそうえいせい
放送衛星 — broadcasting satellite

もくじ
目次 — contents

たんこうぼん
単行本 — separate volume

さくいん
索引 — index

逓信 Communications 3番目

聞 員 道 出 見 報 数 道 記 新 事 材 出 事 特 書 行 記 員 し
特 派 数 聞 材 説 記 記 長 材 道 説 行 特 投 派 部 書 記 社
書 数 報 出 員 編 社 材 数 特 道 編 員 道 投 者 道 事 行 行
者 材 行 取 見 派 出 投 見 数 道 道 記 取 者 出 聞 見 社 部
説 し し 数 事 取 報 新 し 者 者 聞 道 編 新 行 社 聞 長 編
員 数 記 特 数 特 し 見 聞 見 長 報 書 事 見 数 し 発 行 聞
出 員 報 数 特 聞 編 し 書 発 部 特 材 材 新 説 見 数 特 発
社 行 聞 行 発 員 長 数 事 新 行 取 部 編 長 員 説 部 派 社
者 集 長 部 報 長 特 部 員 特 記 部 集 社 新 見 事 行 道 部
し 記 報 社 聞 聞 社 編 事 取 道 長 数 投 道 投 聞 集 記 集
聞 派 材 長 書 数 派 長 投 説 新 取 報 取 説 編 長 特 派 員
編 見 行 発 新 長 書 社 長 投 事 出 集 事 新 発 事 説 聞 編
事 出 書 聞 特 報 特 長 投 長 派 数 見 見 派 集 書 長 員 事
説 し 社 報 派 集 編 特 特 記 派 道 集 聞 出 新 出 説 取 し
集 聞 長 数 派 行 報 者 社 記 部 社 新 特 道 投 報 見 発 書

きしゃ	記者	reporter
きじ	記事	article
みだし	見出し	headline
しんぶん	新聞	newspaper
ほうどう	報道	report, news
しゅざい	取材	news gathering
しゃせつ	社説	editorial
へんしゅうちょう	編集長	editor-in-chief
とうしょ	投書	letter to the editor
とくはいん	特派員	special correspondent
しんぶんしゃ	新聞社	newspaper publishing company
しんぶんはっこうぶすう	新聞発行部数	newspaper circulation

交通 Transportation 1番目

表	車	踏	通	間	国	車	通	旅	旅	切	車	私	私	近	通	客	下	不	交
道	道	通	道	乗	不	切	時	車	表	時	客	不	切	切	地	国	車	乗	地
私	下	車	道	乗	交	表	切	不	踏	客	切	客	列	地	客	通	地	不	客
踏	地	客	不	下	交	旅	下	私	車	通	間	時	不	交	地	近	間	切	道
旅	国	客	時	鉄	国	旅	時	不	下	鉄	踏	不	私	交	地	鉄	列	通	近
旅	車	不	鉄	乗	表	踏	鉄	乗	間	不	乗	地	地	旅	交	乗	鉄	下	通
鉄	下	下	表	切	国	客	客	道	地	近	鉄	下	踏	列	交	乗	地	私	国
地	乗	列	時	切	道	間	客	切	交	間	表	不	通	旅	地	時	表	列	時
交	時	表	近	地	通	国	車	車	間	切	客	道	私	乗	不	踏	地	表	乗
鉄	切	通	通	旅	道	国	近	不	客	列	列	車	交	列	表	列	地	時	交
踏	地	鉄	旅	通	通	客	時	踏	旅	乗	切	国	近	下	間	鉄	間	客	国
私	間	間	表	踏	地	国	近	列	近	通	私	国	客	列	時	近	地	列	乗
乗	近	時	乗	間	旅	近	乗	客	踏	列	通	近	時	間	乗	下	切	交	表
私	客	交	鉄	通	間	乗	乗	間	私	地	鉄	通	交	旅	鉄	切	間	間	表
近	私	踏	客	列	間	通	道	不	切	地	表	鉄	時	乗	地	近	国	近	下

れっしゃ
列車 — train

てつどう
鉄道 — railroad

してつ
私鉄 — private railroad

ちかてつ
地下鉄 — subway

ふつう
不通 — interruption

ちかみち
近道 — shortcut

じかんひょう
時間表 — train schedule

じょうしゃ
乗車 — board a train

こくてつ
国鉄 — Japan National Railway (JNR)

こうつう
交通 — transportation, traffic

りょかく
旅客 — passenger

ふみきり
踏切 — railroad crossing

交通 Transportation 2番目

路 新 着 送 出 線 線 乗 特 速 高 線 乗 高 信 到 高 送 客 車
出 輸 到 号 道 客 号 着 乗 出 線 発 信 輸 路 特 送 速 行 行
貨 車 特 路 路 客 輸 貨 急 乗 乗 急 車 急 急 貨 車 路 高 出
速 道 輸 発 新 幹 道 貨 線 発 出 輸 幹 信 路 急 着 貨 幹 特
乗 急 道 物 輸 新 客 線 乗 速 線 号 物 高 客 路 物 発 到 行
速 車 線 号 物 客 着 発 道 新 速 道 行 信 車 路 送 発 新 高
客 道 路 輸 路 号 高 信 高 特 客 号 着 客 客 幹 貨 急 幹 速
着 新 輸 号 貨 貨 送 発 速 幹 号 発 路 貨 車 高 発 路 線 道
車 貨 号 道 輸 発 特 特 行 急 送 速 路 急 線 乗 貨 高 物 路
客 車 幹 着 乗 到 到 速 号 信 速 急 幹 高 輸 道 車 着 客 行
特 貨 貨 輸 幹 出 物 乗 物 着 発 新 送 着 幹 高 貨 新 新 速
発 乗 輸 行 新 信 速 客 線 着 急 線 高 車 車 号 急 出 高 幹
着 急 物 速 乗 急 着 送 号 幹 送 路 着 車 車 幹 客 道 到 幹
送 出 輸 道 物 輸 発 路 車 新 号 輸 乗 高 乗 輸 高 新 車 到
速 号 客 信 車 特 道 送 貨 貨 客 号 到 物 幹 発 速 路 高 出

じょうきゃく
乗客 passenger

かもつ
貨物 cargo, freight

ゆそう
輸送 transportation

とうちゃく
到着 arrival

はっしゃ
発車 departure

しゅっぱつ
出発 departure

しんごう
信号 signal, traffic light

かんせん
幹線 main line

きゅうこう
急行 express

とっきゅう
特急 special express

しんかんせん
新幹線 bullet train, super express

こうそくどうろ
高速道路 expressway

交通 Transportation 3番目

通 線 車 国 折 事 勤 通 進 点 路 故 乗 進 右 通 り 線 国 歩
道 交 交 交 交 差 点 事 国 駐 道 点 差 差 右 通 故 事 通 交
用 進 車 乗 進 線 道 進 交 駐 用 路 差 歩 乗 事 故 左 事 回
左 線 差 り 進 車 通 り 回 進 通 線 車 道 回 通 交 道 道 車
国 事 駐 歩 乗 道 左 左 回 差 乗 事 用 折 駐 差 進 差 り り
交 線 乗 内 折 内 内 用 歩 路 車 歩 乗 歩 左 交 道 折 勤 点
乗 回 右 右 駐 通 車 線 進 勤 勤 歩 交 点 り 線 乗 点 交 進
折 駐 点 り 進 内 折 交 交 線 国 車 回 駐 右 故 路 乗 内 故
用 線 乗 交 道 進 歩 用 車 通 右 勤 歩 通 通 右 交 道 事 差
路 歩 乗 乗 差 進 事 国 用 駐 点 点 右 国 路 回 用 右 道 右
り 差 差 点 通 駐 線 歩 路 右 乗 乗 用 り 用 通 路 右 右 駐
進 事 車 通 り 交 歩 回 勤 国 駐 左 国 内 右 り 交 国 事 点
差 乗 歩 事 国 路 路 駐 路 点 通 歩 国 内 路 国 交 用 内 道
折 通 折 事 国 用 内 国 路 点 乗 右 回 通 線 回 勤 事 通 路
点 折 路 道 乗 折 用 折 点 故 乗 車 差 交 乗 路 点 り 用 道

こくどう
国道 national highway

しんろ
進路 route, path

じょうようしゃ
乗用車 passenger car

ちゅうしゃ
駐車 parking

こうつうじこ
交通事故 traffic accident

つうきん
通勤 commuting

うせつ
右折 turn right

させつ
左折 turn left

こくないせん
国内線 domestic airline

まわりみち
回り道 detour

ほどう
歩道 sidewalk

こうさてん
交差点 crossing

交通 Transportation 4番目

運	通	制	離	許	用	有	度	家	限	地	反	用	突	反	橋	家	行	限	通
行	証	橋	運	旅	制	陸	許	旅	制	度	許	運	衝	機	行	路	反	交	限
料	通	橋	証	車	運	離	歩	離	度	制	交	料	一	制	道	機	料	転	旅
家	陸	方	証	方	行	用	歩	免	速	反	突	通	歩	料	車	料	客	有	反
運	通	免	一	交	陸	地	自	車	自	速	歩	交	有	道	旅	違	転	旅	有
通	度	地	許	違	通	路	許	有	着	車	反	有	通	運	反	突	着	旅	突
歩	運	歩	旅	度	家	機	交	用	離	橋	地	有	限	違	陸	転	速	客	客
陸	違	制	有	限	道	方	有	運	機	証	家	証	橋	制	反	突	通	自	交
路	道	歩	違	証	衝	違	転	通	自	家	用	車	車	有	反	家	制	陸	有
料	有	速	路	橋	証	有	反	旅	着	限	違	自	車	着	行	違	機	度	旅
道	反	料	度	速	自	許	運	限	路	反	通	通	車	制	反	行	道	速	歩
着	反	衝	行	免	通	運	許	度	衝	車	反	用	反	衝	歩	免	橋	旅	通
家	客	転	運	転	免	許	証	行	用	一	客	衝	自	着	通	陸	道	速	道
限	違	反	運	歩	通	衝	歩	機	客	機	車	一	車	歩	陸	家	歩	方	証
離	突	度	道	陸	衝	路	橋	免	歩	違	地	橋	運	突	通	反	用	用	機

じかようしゃ
自家用車 — private car

ゆうりょうどうろ
有料道路 — toll road

こうつういはん
交通違反 — traffic violation

ちゃくりく
着陸 — landing

りりく
離陸 — take off

ろじ
路地 — lane

しょうとつ
衝突 — collision

そくどせいげん
速度制限 — speed limit

りょかくき
旅客機 — passenger plane

ほどうきょう
歩道橋 — pedestrian bridge

いっぽうつうこう
一方通行 — one-way traffic

うんてんめんきょしょう
運転免許証 — driver's license

旅行 Travel 1番目

席	席	民	民	予	泊	食	堂	光	光	食	図	食	席	地	館	観	旅	席	食
旅	車	団	手	手	手	予	予	宿	食	観	観	体	空	体	観	台	食	予	体
民	堂	堂	行	手	館	行	行	民	物	約	地	荷	空	宿	物	物	寝	光	泊
堂	旅	団	堂	空	体	約	光	体	荷	車	光	車	予	荷	団	泊	食	団	宿
台	物	地	予	民	物	席	約	民	食	地	予	寝	手	手	民	堂	予	手	団
食	行	車	館	団	荷	荷	図	寝	団	荷	寝	地	地	団	約	空	民	旅	約
車	席	光	行	民	宿	荷	台	旅	車	手	物	堂	体	寝	堂	地	図	民	物
寝	席	民	約	寝	予	車	宿	宿	席	車	宿	旅	席	食	予	約	約	行	旅
旅	約	観	光	地	体	予	寝	荷	体	食	行	堂	光	堂	寝	車	観	食	光
台	泊	宿	行	宿	地	行	手	席	館	宿	席	泊	予	車	台	泊	民	団	予
空	館	地	寝	空	物	約	空	荷	台	堂	観	民	館	台	旅	空	光	約	行
荷	光	空	食	約	荷	物	物	荷	行	行	旅	光	観	館	手	体	泊	車	荷
旅	宿	旅	空	手	団	席	予	車	民	堂	空	旅	予	食	民	予	光	館	約
寝	寝	食	台	約	光	手	宿	観	寝	団	空	図	堂	体	旅	空	行	宿	体
体	館	堂	手	地	席	地	館	予	台	約	民	旅	館	荷	荷	図	地	宿	館

りょこう
旅行 travel

ちず
地図 map

よやく
予約 reservation

くうせき
空席 vacant seat

てにもつ
手荷物 luggage

しょくどうしゃ
食堂車 dining car

だんたいりょこう
団体旅行 group tour

かんこうりょこう
観光旅行 sightseeing tour

みんしゅく
民宿 family inn

りょかん
旅館 Japanese inn

しゅくはく
宿泊 stay

しんだいしゃ
寝台車 sleeping car

旅行 Travel 2番目

免	内	理	指	指	札	券	満	理	期	口	内	品	員	所	員	案	切	口	案
号	満	品	代	費	口	由	満	号	費	税	理	添	改	号	券	免	由	品	席
内	税	案	乗	免	満	期	免	理	免	案	指	案	札	理	切	満	税	座	切
理	号	席	定	改	代	乗	指	行	札	品	符	案	口	定	期	口	員	由	由
代	税	券	品	内	番	席	席	席	員	所	内	案	案	店	所	税	乗	内	席
座	号	行	内	添	由	定	理	員	切	品	座	期	期	札	行	自	免	自	改
券	期	品	号	座	指	由	満	品	税	定	券	店	内	由	由	券	旅	改	自
席	旅	期	内	番	符	席	符	札	指	費	改	理	代	席	自	税	理	旅	理
品	由	札	番	理	席	員	員	符	改	費	席	行	税	定	符	理	口	案	札
期	理	番	内	番	改	座	指	行	口	案	旅	指	満	店	行	口	満	由	所
所	員	券	席	期	改	理	理	番	行	店	満	券	理	番	店	自	代	乗	内
税	免	税	品	免	内	切	旅	口	添	旅	乗	代	指	切	号	内	満	代	席
切	員	品	券	乗	由	符	旅	乗	札	由	行	店	所	理	自	費	免	番	行
定	税	内	由	税	定	品	員	号	員	旅	旅	品	改	税	定	理	口	員	員
乗	定	期	券	内	席	旅	員	改	案	員	指	税	号	指	内	免	員	満	案

りょこうだいりてん
旅行代理店 travel agency

かいさつぐち
改札口 ticket gate

ていきけん
定期券 season ticket

じゆうせき
自由席 unreserved seat

していせき
指定席 reserved seat

りょひ
旅費 travel expenses

あんないじょ
案内所 information bureau

てんじょういん
添乗員 tour conductor

ざせきばんごう
座席番号 seat number

まんせき
満席 sold-out seating

きっぷ
切符 ticket

めんぜいひん
免税品 duty-free goods

天気 Weather

衛	天	雨	低	台	衛	量	星	気	星	度	星	度	温	星	雨	雨	度	高	雨
台	温	衛	度	圧	象	天	度	量	低	雨	気	図	量	星	図	衛	気	圧	星
衛	衛	象	星	図	天	量	象	星	象	台	気	度	量	温	図	気	低	星	台
気	湿	象	台	高	星	度	低	天	高	衛	雨	台	象	圧	雨	図	湿	量	気
衛	湿	象	量	天	圧	台	低	衛	衛	雨	低	図	温	低	気	湿	天	湿	量
量	湿	量	天	天	象	度	度	低	気	低	高	圧	星	高	衛	高	図	星	台
湿	気	星	圧	衛	台	高	衛	温	衛	高	天	象	台	台	象	雨	圧	象	湿
星	量	象	台	高	図	天	温	圧	象	図	星	量	量	天	図	度	圧	台	図
天	度	圧	衛	台	天	天	量	圧	図	低	台	台	衛	温	天	度	低	象	雨
低	雨	天	台	星	湿	星	量	高	湿	気	図	象	衛	衛	衛	天	湿	衛	天
度	度	天	雨	雨	気	星	星	量	高	圧	台	高	気	台	雨	台	台	高	量
低	衛	台	温	図	雨	雨	高	度	圧	量	図	台	度	低	図	気	衛	高	象
衛	湿	高	量	低	度	温	高	低	度	度	度	高	圧	天	象	度	量	衛	台
高	低	雨	湿	気	衛	度	高	気	量	天	気	図	低	雨	低	度	台	天	台
温	湿	湿	台	天	台	温	衛	量	星	台	量	量	温	雨	星	図	図	台	衛

てんき	天気	weather
てんきず	天気図	weather chart
きしょう	気象	atmospheric phenomena
きおん	気温	temperature
しつど	湿度	humidity
きあつ	気圧	air pressure
こうきあつ	高気圧	high pressure
ていきあつ	低気圧	low pressure
うりょう	雨量	rainfall
きしょうだい	気象台	meteorological observatory
えいせい	衛星	satellite
きしょうえいせい	気象衛星	meteorogical satellite

自然 Nature

自	運	殻	熱	原	波	台	震	自	火	原	雨	台	自	動	寒	林	原	台	殻
運	高	雪	動	崩	火	自	震	暴	地	雨	運	高	波	帯	動	雨	寒	高	崩
運	雨	自	波	暴	動	然	台	動	動	高	自	運	雨	雪	運	崩	帯	暴	山
暴	熱	波	暴	動	帯	然	高	林	風	雨	震	寒	然	雪	殻	風	噴	波	波
震	殻	風	運	波	山	震	噴	高	熱	山	崩	震	林	林	地	然	雨	地	震
震	雨	林	崩	運	崩	動	帯	台	噴	動	山	高	熱	熱	殻	高	殻	高	自
自	風	火	林	噴	然	寒	高	地	寒	地	雨	雪	熱	台	崩	雨	帯	動	山
林	震	雨	風	動	原	熱	山	台	自	山	動	自	噴	原	波	林	原	山	熱
暴	熱	運	殻	地	帯	殻	風	震	波	原	自	雪	寒	噴	然	寒	崩	殻	暴
寒	運	雨	動	林	火	震	噴	林	原	山	台	殻	動	運	噴	雨	高	台	地
原	然	噴	帯	林	雨	暴	殻	原	火	熱	林	波	動	波	動	波	動	然	運
然	震	林	震	帯	然	山	崩	然	地	自	台	山	台	雪	動	殻	運	台	熱
雨	雨	原	山	暴	噴	動	震	寒	噴	帯	寒	運	寒	崩	震	震	高	崩	運
風	自	原	暴	原	寒	林	然	火	殻	然	林	然	震	台	寒	暴	台	波	噴
火	林	雪	運	震	熱	崩	地	雪	風	動	地	殻	噴	殻	地	自	雪	暴	風

しぜん
自然 nature

ぼうふうう
暴風雨 rainstorm

じしん
地震 earthquake

ねっぱ
熱波 heat wave

かんぱ
寒波 cold wave

たいふう
台 風 typhoon

こうげん
高 原 plateau, highland

なだれ
雪崩 snowslide, avalanche

かざん
火山 volcano

ふんか
噴火 eruption

ちかくうんどう
地 殻 運 動 crustal movement

ねったいりん
熱 帯 林 tropical forest

悲劇 Tragedy 1番目

害	崩	脱	遺	参	全	損	火	風	線	全	地	脱	参	風	体	参	消	全	参
全	事	火	火	全	遺	参	脱	参	線	損	火	体	脱	地	消	全	災	参	参
災	地	脱	体	線	全	地	水	被	体	体	風	崩	事	地	風	参	風	損	脱
消	水	事	崩	火	風	損	災	脱	地	害	体	脱	災	地	消	水	遺	壊	参
体	体	災	事	地	被	地	災	壊	事	災	参	災	脱	消	線	全	被	線	体
被	崩	被	遺	全	遺	体	脱	地	被	崩	消	損	事	害	体	火	遺	壊	線
線	水	線	参	損	地	地	参	風	崩	消	損	遺	壊	壊	災	被	火	地	崩
損	事	損	全	風	全	崩	地	体	害	害	遺	被	壊	遺	被	風	風	害	風
遺	遺	崩	崩	消	害	脱	全	事	風	消	脱	脱	消	参	火	事	事	線	風
火	線	事	害	参	害	線	損	被	壊	水	水	損	風	脱	全	体	壊	遺	風
体	崩	水	風	災	水	体	地	水	線	消	損	風	崩	体	消	害	脱	風	損
水	風	全	災	脱	事	体	脱	体	体	参	消	事	地	損	風	壊	災	遺	消
脱	被	体	壊	害	被	災	被	火	壊	参	壊	体	火	事	火	遺	被	遺	遺
水	脱	災	風	事	災	体	体	脱	体	事	水	壊	被	壊	事	線	事	消	事
脱	災	体	消	消	線	消	火	脱	地	水	壊	地	被	風	消	損	崩	遺	壊

そんがい
損害 — damage

さんじ
参事 — disaster

いたい
遺体 — corpse

だっせん
脱線 — derailment

ほうかい
崩壊 — collapse

ぜんかい
全壊 — total destruction

すいがい
水害 — water damage

かさい
火災 — fire, conflagration

しょうか
消火 — firefighting

ふうすいがい
風水害 — storm and flood damage

ひさいち
被災地 — disaster-stricken area

ひがい
被害 — damage

悲劇 Tragedy 2番目

球	者	落	死	常	追	追	人	故	遭	球	負	暖	人	人	常	負	口	突	非
負	暖	公	公	故	避	救	負	球	突	公	流	落	落	公	救	暖	常	遭	常
傷	化	公	非	追	地	球	地	人	突	突	遭	化	暖	常	事	地	突	負	口
者	雷	事	雷	球	事	地	温	命	流	故	遭	負	非	雷	化	死	温	死	難
化	非	口	温	球	害	害	人	故	負	避	死	死	突	追	負	口	非	負	害
救	避	暖	球	雷	故	難	暖	負	球	流	傷	避	暖	人	落	化	非	命	非
失	化	追	難	公	落	地	流	遭	口	者	害	温	避	人	非	流	化	失	人
口	助	助	人	救	落	負	流	化	助	突	化	傷	故	害	故	球	故	助	救
害	避	地	突	傷	負	追	避	球	化	者	故	失	死	落	死	常	命	口	落
突	傷	負	故	非	温	事	命	人	非	雷	地	難	故	突	化	助	突	事	非
難	球	温	死	人	故	公	非	流	暖	常	傷	突	非	害	救	傷	死	傷	難
助	故	傷	追	遭	難	口	流	命	落	避	難	非	地	命	地	事	地	地	事
球	化	害	化	化	雷	人	球	温	失	害	常	難	人	害	流	傷	遭	突	避
遭	傷	負	害	化	球	流	難	地	避	流	傷	地	公	事	口	救	害	故	救
失	傷	雷	流	命	助	暖	助	化	地	害	害	者	地	失	避	者	者	助	球

りゅうしつ
流失 washed away

らくらい
落雷 lightning strike

じこ
事故 accident

ついとつ
追突 rear-end collision

ししょうしゃ
死傷者 casualties

ふしょうしゃ
負傷者 injured person

ひじょうぐち
非常口 emergency exit

ちきゅうおんだんか
地球温暖化 global warming

こうがい
公害 pollution

じんめいきゅうじょ
人命救助 life-saving

ひなん
避難 evacuation

そうなん
遭難 shipwreck, distress

悲劇 Tragedy 3番目

墜	浸	旱	酸	崩	焼	洪	雨	砂	洪	巻	れ	落	津	山	焼	害	れ	災	全
洪	洪	洪	巻	洪	雨	崩	魃	性	れ	れ	砂	雨	性	洪	山	波	雨	墜	土
山	焼	害	波	旱	竜	災	巻	れ	酸	波	落	害	性	旱	雨	洪	竜	崩	焼
旱	落	洪	水	れ	津	れ	酸	墜	れ	巻	洪	津	山	山	崩	れ	波	洪	崩
全	浸	れ	全	雨	魃	竜	土	れ	墜	洪	雨	れ	洪	性	墜	魃	魃	焼	津
酸	波	酸	雨	全	性	崩	焼	津	砂	害	全	雨	災	酸	巻	落	雨	魃	魃
落	土	巻	砂	津	酸	水	浸	酸	れ	巻	魃	墜	旱	落	焼	洪	土	性	全
性	波	土	れ	浸	災	土	山	崩	災	墜	害	れ	災	魃	雨	浸	焼	性	墜
性	害	れ	害	魃	落	津	砂	害	津	焼	巻	竜	竜	津	土	雨	巻	砂	竜
焼	土	津	津	竜	全	土	崩	土	全	害	落	砂	焼	山	崩	津	洪	砂	砂
旱	旱	旱	性	砂	浸	全	水	山	波	水	竜	山	水	津	害	巻	害	山	害
れ	山	竜	山	洪	害	山	津	竜	津	酸	れ	災	墜	土	浸	洪	津	魃	墜
全	酸	水	落	性	れ	波	砂	焼	旱	津	津	れ	津	旱	害	旱	土	れ	波
性	落	水	竜	落	竜	害	崩	竜	性	落	山	焼	害	焼	酸	雨	水	旱	旱
酸	れ	波	魃	波	性	墜	崩	波	崩	巻	害	害	旱	竜	性	山	害	砂	土

どしゃくずれ
土砂崩れ landslide

しんすい
浸水 inundation

かんばつ
旱魃 drought

こうずい
洪水 flood

ぜんしょう
全焼 burned down

たつまき
竜巻 tornado

やまくずれ
山崩れ landslide

ついらく
墜落 crash

やまつなみ
山津波 landslide, landslip

つなみ
津波 tsunami

さいがい
災害 disaster

さんせいう
酸性雨 acid rain

悲劇 Tragedy 4番目

犠 知 消 事 知 出 染 出 災 者 雪 雪 集 出 雪 豪 害 染 雪 器
署 防 消 大 報 劇 中 冷 事 災 知 染 知 雪 署 犠 豪 防 牲 防
報 汚 牲 悲 冷 気 害 車 署 車 気 中 器 火 中 害 火 集 者 中
雪 大 染 大 染 事 気 劇 事 車 者 害 大 知 雨 災 牲 豪 害 中
犠 知 犠 出 冷 豪 知 劇 出 者 報 防 器 豪 報 汚 牲 者 中 知
気 悲 報 集 者 大 署 気 知 犠 報 大 中 知 犠 犠 冷 防 豪 者
気 防 冷 犠 汚 犠 車 車 害 大 劇 集 器 犠 報 雪 染 雨 悲 気
車 大 牲 牲 劇 雨 害 豪 劇 気 冷 汚 汚 火 雪 消 署 知 雪 冷
大 者 消 汚 火 知 染 防 署 汚 大 知 雨 事 中 悲 雨 害 牲 気
防 防 雪 牲 害 犠 器 雨 牲 染 気 消 汚 雨 中 悲 災 者 出 気
車 牲 雪 気 出 牲 車 豪 悲 気 牲 出 犠 消 消 染 火 豪 火 中
知 犠 冷 冷 署 大 火 者 消 冷 汚 知 牲 知 雪 犠 車 署 雨 署
署 知 者 汚 雪 火 染 署 報 雪 雪 知 気 雪 車 出 気 署 劇 消
火 雨 中 者 知 雨 消 知 悲 劇 知 車 器 悲 汚 中 悲 知 犠 防
害 犠 知 者 知 染 冷 牲 署 犠 事 報 出 気 雨 署 染 災 車 防

かじ	火事	fire	ひげき	悲劇	tragedy
しょうぼうしょ	消防署	fire station	しゅうちゅうごうう	集中豪雨	localized heavy rain
かさいほうちき	火災報知器	fire alarm	せつがい	雪害	snow damage
たいきおせん	大気汚染	air pollution	しゅっか	出火	outbreak of fire
ぎせいしゃ	犠牲者	casualty, victim	れいがい	冷害	cold weather damage
おせん	汚染	pollution	しょうぼうしゃ	消防車	fire engine

生活 Life 1番目

生	未	家	亡	死	成	流	国	障	未	勢	国	主	活	年	再	宴	露	行	行
庭	亡	勢	再	害	害	活	活	活	婦	庭	活	庭	披	成	害	露	勢	害	再
再	亡	調	結	調	露	査	結	婦	披	査	者	婚	亡	主	生	調	障	家	害
調	障	勢	披	披	国	勢	調	査	婚	調	生	露	成	流	調	庭	活	婚	調
家	家	宴	勢	害	調	害	披	披	亡	結	死	調	流	婦	未	流	未	害	婚
宴	行	婦	露	庭	家	査	未	者	者	披	露	流	披	離	年	成	年	活	活
行	者	披	亡	調	婚	主	離	婦	庭	生	未	婦	行	勢	家	調	家	成	庭
死	行	結	露	宴	宴	勢	者	宴	婚	死	成	成	結	者	離	行	結	流	主
行	結	家	行	主	成	生	亡	国	未	成	年	死	庭	行	庭	宴	成	結	害
婦	宴	勢	亡	者	者	再	主	活	行	行	者	年	行	宴	亡	障	露	主	結
年	成	査	披	者	害	離	年	主	生	生	生	年	国	離	生	庭	勢	披	年
査	調	宴	死	庭	障	庭	披	行	年	者	勢	結	庭	死	婦	結	披	庭	婚
未	未	主	勢	未	者	婦	調	婦	害	勢	離	未	者	主	宴	未	国	査	国
婦	死	未	婚	生	再	年	生	離	再	婦	再	調	年	流	勢	国	披	露	披
婚	国	死	再	国	庭	害	婚	国	活	調	国	年	宴	成	露	結	露	者	者

かてい
家庭 — family

けっこん
結婚 — marriage

ひろうえん
披露宴 — wedding reception

さいこん
再婚 — remarriage

せいかつ
生活 — life, lifestyle

りこん
離婚 — divorce

こくせいちょうさ
国勢調査 — national census

しゅふ
主婦 — housewife

しょうがいしゃ
障害者 — impaired or disabled person

みせいねんしゃ
未成年者 — underaged person, minor

りゅうこう
流行 — fashion

しぼう
死亡 — death

生活 Life 2番目

重	際	生	乾	者	傷	乾	準	即	生	際	余	余	飢	軽	活	飢	傷	出	浮
味	乾	味	結	浪	死	傷	味	結	傷	余	重	率	杯	水	国	結	浮	出	婚
結	準	余	傷	活	亡	出	結	者	乾	浪	活	余	者	婚	活	準	余	死	即
者	婚	浪	余	亡	率	婚	暇	際	軽	軽	出	際	国	重	水	軽	乾	餓	重
趣	生	飢	飢	味	婚	国	出	生	率	浪	暇	趣	傷	活	暇	浪	味	乾	者
浮	趣	結	重	亡	際	生	浮	飢	杯	飢	出	婚	生	結	飢	亡	死	飢	者
活	杯	軽	即	軽	趣	味	浮	出	浪	亡	死	飢	余	杯	活	活	浮	乾	婚
水	飢	結	出	趣	率	浮	餓	軽	死	浪	生	飢	際	浮	婚	結	際	国	飢
結	飢	即	余	暇	飢	余	際	余	死	浮	餓	死	余	婚	浮	暇	餓	軽	率
重	活	杯	活	杯	活	浮	浮	傷	味	準	婚	余	軽	際	活	出	亡	婚	準
亡	浮	率	死	乾	浪	活	余	乾	亡	暇	際	趣	水	余	趣	率	際	趣	杯
浮	際	余	趣	重	乾	死	趣	生	婚	餓	婚	生	生	浪	出	暇	生	結	準
亡	浪	婚	者	死	婚	暇	飢	浮	重	浪	傷	浮	餓	国	餓	重	杯	国	飢
浪	傷	者	趣	結	準	飢	乾	際	餓	味	準	準	婚	水	浮	味	軽	浪	水
軽	浮	死	死	浮	飢	軽	暇	国	傷	生	即	浪	餓	浮	出	餓	死	重	際

ふろうしゃ
浮浪者 — vagabond

しゅっしょうりつ
出生率 — birthrate

しぼうりつ
死亡率 — death rate

こくさいけっこん
国際結婚 — international marriage

よか
余暇 — leisure time

かんぱい
乾杯 — cheers, to toast

せいかつすいじゅん
生活水準 — standard of living

けいしょう
軽傷 — minor injury

じゅうしょう
重傷 — serious injury

きが
飢餓 — hunger, famine

そくし
即死 — instant death

しゅみ
趣味 — hobby

生活 Life 3番目

茶 冷 喫 会 喫 毎 毎 蔵 会 所 所 夕 会 生 所 身 生 式 茶 子
茶 食 食 所 食 夕 庫 生 子 蔵 朝 所 様 庫 庫 孫 店 式 様 房
所 式 独 食 孫 話 毎 堂 独 話 夕 茶 喫 子 生 生 孫 茶 茶 庫
生 夕 子 式 店 茶 台 孫 孫 生 毎 身 生 式 式 話 生 喫 食 身
堂 活 茶 冷 生 独 房 冷 庫 冷 食 喫 式 会 庫 蔵 活 式 生 朝
蔵 身 様 食 茶 孫 夕 庫 生 冷 冷 式 独 蔵 会 活 台 毎 喫 台
台 生 食 式 活 台 台 茶 喫 子 蔵 茶 台 房 房 夕 活 生 蔵 朝
会 房 独 式 身 式 孫 朝 朝 式 子 蔵 食 堂 様 独 話 孫 会 庫
毎 身 食 活 茶 喫 子 夕 台 蔵 話 蔵 毎 孫 堂 庫 毎 茶 朝 庫
話 店 房 身 夕 話 庫 庫 冷 話 店 茶 冷 蔵 庫 茶 孫 茶 生 独
夕 蔵 台 孫 喫 式 独 堂 式 身 朝 生 孫 台 生 店 毎 朝 独 朝
茶 所 活 蔵 台 堂 毎 房 喫 茶 店 喫 庫 様 台 身 会 生 朝 子
庫 活 所 喫 夕 蔵 孫 店 毎 生 毎 冷 喫 食 話 茶 生 台 式 蔵
子 活 生 会 庫 生 身 毎 式 話 生 食 会 話 身 店 夕 話 独 式
毎 子 毎 孫 台 式 堂 蔵 孫 茶 食 店 活 庫 蔵 蔵 店 毎 様 子

ちょうしょく
朝食 breakfast

ゆうしょく
夕食 dinner

しそん
子孫 descendant, offspring

だいどころ
台所 kitchen

しょくどう
食堂 cafeteria

せいかつようしき
生活様式 lifestyle

れいぞうこ
冷蔵庫 refrigerator

どくしん
独身 single, unmarried

かいわ
会話 conversation

きっさてん
喫茶店 coffee shop

まいあさ
毎朝 every morning

れいぼう
冷房 (cold) air conditioning

生活 Life 4番目

姉 冗 美 昼 容 代 姉 昼 呂 床 談 代 物 姉 冗 呂 冗 昼 水 暖
物 姉 在 院 呂 姉 水 在 呂 房 妹 子 族 寝 美 美 姉 館 院 親
冗 親 容 寝 冗 呂 親 容 床 妹 暖 在 院 房 美 現 動 寝 族 床
館 妹 談 物 族 物 屋 在 院 床 館 院 在 園 呂 冗 現 床 冗 房
呂 屋 親 床 呂 現 園 美 談 房 親 館 呂 暖 姉 園 物 水 容 子
園 呂 在 寝 冗 代 園 現 談 房 水 代 族 水 動 親 容 昼 親 容
屋 物 館 暖 園 屋 床 房 屋 寝 動 親 親 物 親 動 親 房 親 暖
子 族 風 美 動 子 姉 水 呂 呂 物 床 園 親 院 呂 冗 族 館 水
水 呂 在 談 屋 昼 院 談 物 冗 容 美 妹 寝 動 談 姉 暖 代 院
屋 談 床 在 屋 風 暖 動 風 風 族 屋 物 在 物 館 屋 屋 冗 美
姉 子 暖 冗 現 族 代 昼 館 冗 現 呂 妹 美 館 妹 館 動 美 容
動 暖 物 姉 子 族 呂 呂 冗 姉 動 動 呂 暖 床 暖 水 談 館 院
親 妹 動 呂 昼 動 現 風 妹 代 物 美 呂 代 美 昼 屋 暖 現 現
代 物 水 美 談 姉 子 床 動 物 美 族 寝 談 容 談 院 容 昼 妹
物 容 園 族 姉 館 子 冗 現 現 暖 院 館 親 代 房 代 寝 親 容

おやこ
親子 parent and child

びよういん
美容院 hair salon

じょうだん
冗 談 joke

だんぼう
暖 房 heating

どうぶつえん
動 物 園 zoo

とこや
床屋 barbershop

ふろや
風呂屋 bathhouse

すいぞくかん
水 族 館 aquarium

しまい
姉妹 sisters

げんざい
現 在 the present, present time

げんだい
現 代 present age, modern times

ひるね
昼寝 nap

文化 Culture 1番目

仏	童	術	楽	画	化	国	廊	油	廊	教	国	油	音	化	絵	楽	芸	書	画
芸	音	術	宝	術	油	版	仏	芸	楽	楽	油	術	画	話	術	絵	映	書	宗
宗	画	文	音	文	音	化	国	童	童	宝	芸	油	書	宗	廊	童	国	文	画
絵	芸	仏	術	画	術	仏	楽	仏	書	教	話	教	文	仏	廊	教	仏	術	教
廊	宗	宝	文	油	油	国	話	映	絵	映	道	油	油	文	音	芸	油	廊	宝
化	化	術	版	宗	油	音	絵	映	教	話	芸	化	宗	版	童	油	道	童	楽
国	楽	話	書	芸	映	話	映	文	術	宗	絵	廊	宗	文	油	道	国	童	映
絵	文	道	話	宝	芸	国	宝	書	文	楽	絵	絵	油	術	画	画	道	国	道
国	音	版	童	道	化	童	廊	宝	芸	国	化	版	宝	話	国	仏	音	版	道
国	廊	教	宝	映	国	芸	仏	宗	楽	文	教	童	映	絵	宗	宗	音	音	道
術	楽	道	廊	術	国	版	画	仏	映	宝	教	童	絵	文	宝	楽	道	教	童
書	版	話	文	宗	童	油	文	画	術	文	宝	文	画	芸	書	芸	国	楽	道
映	映	教	絵	絵	仏	童	道	道	音	廊	道	画	仏	音	宝	廊	文	話	画
廊	廊	芸	映	廊	術	道	仏	廊	話	宗	術	音	油	仏	廊	教	映	楽	画
国	教	映	宝	楽	油	映	化	音	絵	術	音	宝	書	化	油	宝	話	楽	廊

ぶんか
文化 culture

げいじゅつ
芸術 art

あぶらえ
油絵 oil painting

おんがく
音楽 music

えいが
映画 movie

しょどう
書道 calligraphy

こくほう
国宝 national treasure

はんが
版画 woodblock print

がろう
画廊 art gallery

どうわ
童話 fairy tale

しゅうきょう
宗教 religion

ぶっきょう
仏教 Buddhism

文化 Culture 2番目

博	音	彫	彫	美	美	映	画	説	会	祭	美	会	説	演	映	映	本	映	博
美	術	場	画	美	文	日	会	館	舞	音	場	画	楽	彫	館	博	音	刻	刻
刻	場	演	物	場	文	小	日	刻	刻	祭	台	会	日	音	物	伎	祭	本	美
彫	文	小	祭	会	映	物	博	本	術	刻	小	日	文	劇	博	舞	映	舞	本
物	台	演	祭	博	刻	本	音	伎	会	伎	本	文	映	会	映	歌	美	刻	小
伎	舞	画	彫	伎	説	劇	文	伎	説	歌	日	演	場	美	劇	祭	刻	音	音
美	映	舞	場	画	文	劇	美	祭	博	彫	文	台	画	祭	舞	劇	舞	歌	本
音	劇	映	会	館	説	祭	日	映	舞	物	日	術	演	本	文	館	音	劇	文
台	館	画	館	画	劇	場	説	物	楽	場	刻	伎	演	日	劇	映	歌	博	伎
劇	画	刻	本	祭	館	日	歌	美	本	説	本	説	舞	音	祭	文	美	会	楽
本	伎	歌	本	物	会	舞	演	物	小	映	日	祭	日	祭	本	歌	刻	博	小
映	劇	舞	舞	小	楽	劇	伎	楽	彫	博	劇	日	日	術	彫	舞	術	楽	会
文	伎	祭	伎	館	伎	刻	日	伎	本	彫	映	本	小	歌	映	舞	文	彫	会
博	彫	伎	場	祭	文	台	音	映	説	会	画	祭	物	会	舞	文	美	台	日
術	祭	日	日	画	音	術	館	美	楽	舞	場	会	術	物	映	映	演	歌	演

博物館	はくぶつかん	museum
小説	しょうせつ	novel
音楽会	おんがくかい	concert
文楽	ぶんらく	Bunraku
歌舞伎	かぶき	kabuki
劇場	げきじょう	theater
彫刻	ちょうこく	sculpture
美術	びじゅつ	fine arts
日本画	にほんが	Japanese style painting
舞台	ぶたい	stage
演劇	えんげき	drama
映画祭	えいがさい	film festival

文化 Culture 3番目

場	合	劇	神	神	壁	明	立	文	民	董	文	像	華	国	仏	室	合	劇	華
芸	画	団	唱	室	董	場	団	劇	民	唱	立	合	立	像	場	仏	骨	神	民
団	仏	骨	団	明	立	楽	神	立	神	仏	仏	和	劇	立	場	道	国	室	神
仏	和	合	仏	神	神	文	骨	明	場	神	劇	画	場	骨	立	合	壁	芸	舞
和	劇	道	文	華	像	神	踊	楽	像	芸	骨	神	場	場	立	像	室	華	和
明	骨	劇	場	舞	団	立	室	像	明	国	団	神	華	神	文	唱	合	芸	合
仏	芸	国	神	華	仏	神	董	像	国	仏	立	国	文	骨	劇	道	室	文	踊
董	文	壁	明	民	仏	明	舞	立	民	立	骨	唱	文	劇	和	唱	壁	華	唱
民	舞	立	像	壁	場	和	劇	和	室	唱	室	仏	骨	和	画	民	画	文	董
和	画	像	壁	董	和	場	董	団	国	団	董	仏	華	仏	骨	華	像	国	画
董	芸	踊	立	踊	董	舞	骨	明	神	文	画	華	踊	場	壁	合	華	芸	団
国	踊	骨	道	楽	踊	像	楽	楽	骨	道	唱	文	明	像	和	芸	踊	華	立
画	踊	芸	和	場	明	骨	踊	立	劇	画	民	神	画	国	唱	像	道	国	像
楽	董	民	立	合	芸	合	芸	場	室	骨	劇	神	芸	像	文	踊	明	立	唱
道	唱	壁	華	画	董	劇	芸	仏	芸	明	団	神	像	骨	画	画	董	楽	室

ぶよう
舞踊 dance

こっとう
骨董 antique

がっしょう
合唱 chorus

がくだん
楽団 band

わしつ
和室 Japanese-style room

しんとう
神道 Shintoism

ぶつぞう
仏像 Buddhist statue

ぶんめい
文明 civilization, culture

こくりつげきじょう
国立劇場 National Theater

へきが
壁画 wall painting

みんげい
民芸 folkcraft

かどう
華道 flower arrangement

文化 Culture 4番目

見	道	跡	茶	術	楽	映	民	館	跡	伝	跡	客	術	遺	芸	作	茶	芸	遺
作	映	月	管	統	客	茶	家	家	映	民	映	民	曲	響	楽	道	跡	作	芸
管	民	曲	交	映	統	観	交	月	管	茶	伝	楽	術	家	遺	画	跡	観	跡
弦	楽	交	統	統	響	交	月	民	館	響	遺	術	民	映	謡	術	弦	道	術
楽	家	茶	交	道	響	交	客	道	画	伝	画	道	曲	画	茶	響	道	客	遺
管	楽	月	遺	楽	映	画	館	伝	跡	館	月	客	謡	術	跡	作	遺	見	道
客	道	楽	観	観	術	伝	館	観	跡	管	映	統	曲	観	謡	楽	観	響	家
芸	統	芸	画	管	弦	術	館	道	観	跡	見	客	月	楽	曲	遺	月	謡	作
客	響	作	術	観	統	観	曲	月	民	画	民	民	楽	弦	画	道	見	作	観
画	芸	響	統	管	芸	楽	響	画	謡	茶	伝	弦	家	芸	遺	映	館	民	作
術	曲	作	術	茶	術	観	伝	遺	画	跡	観	統	楽	謡	術	楽	響	作	管
月	統	映	客	民	芸	道	響	作	芸	芸	統	術	画	伝	画	茶	響	民	作
謡	芸	遺	茶	管	画	遺	跡	芸	楽	家	交	映	見	遺	楽	映	響	見	跡
家	伝	映	弦	月	術	芸	画	芸	跡	道	画	見	茶	交	統	月	道	館	伝
観	茶	客	謡	画	楽	観	月	管	作	術	遺	交	客	月	芸	術	家	芸	管

さどう
茶道 — tea ceremony

こうきょうがく
交響楽 — symphony

げいじゅつか
芸術家 — artist

つきみ
月見 — moon viewing

でんとう
伝統 — tradition

さっか
作家 — writer

いせき
遺跡 — ruins

みんよう
民謡 — traditional folk song

さっきょく
作曲 — composition

かんげんがく
管弦楽 — orchestral music

かんきゃく
観客 — audience

えいがかん
映画館 — movie theater

文化 Culture 5番目

館 信 芸 館 仰 陶 信 演 代 能 史 品 画 浮 想 思 作 想 仰 美

想 術 墳 作 想 洋 古 演 洋 史 浮 芸 奏 墳 絵 芸 奏 画 絵 奏

史 演 思 世 芸 史 奏 洋 演 演 陶 墳 絵 世 史 館 芸 史 史 墳

館 絵 思 信 想 作 代 洋 絵 品 代 絵 仰 陶 史 奏 洋 品 能 想

美 演 演 古 仰 術 術 作 奏 術 墳 品 作 墳 史 能 品 古 館 芸

術 演 古 想 奏 画 代 思 陶 世 絵 絵 陶 絵 浮 史 代 芸 史 品

洋 代 能 術 陶 館 古 品 史 奏 史 能 思 浮 世 史 史 信 演 陶

能 作 史 世 仰 浮 術 陶 史 洋 能 陶 古 古 演 美 画 想 浮 品

美 古 仰 館 奏 古 世 墳 仰 古 世 史 仰 浮 浮 品 画 代 芸 想

世 術 浮 仰 古 想 美 絵 術 浮 思 仰 演 浮 想 陶 想 品 洋 術

洋 洋 絵 奏 洋 浮 術 陶 品 信 能 陶 画 画 浮 演 館 仰 芸 術

術 演 世 洋 信 墳 奏 画 美 墳 画 術 古 奏 術 画 想 術 画 作

陶 想 術 浮 術 作 史 墳 浮 能 古 想 芸 代 思 奏 芸 奏 美 館

能 絵 作 能 思 画 浮 奏 画 陶 美 洋 仰 古 絵 品 古 芸 史 世

代 思 代 絵 浮 演 思 術 洋 古 史 館 演 品 浮 美 洋 史 演 絵

しんこう
信仰 — faith, religious belief

えんそう
演奏 — performance

びじゅつかん
美術館 — art museum

ようが
洋画 — Western painting

げいのう
芸能 — entertainments

かいが
絵画 — picture

うきよえ
浮世絵 — ukiyo-e

さくひん
作品 — work

とうげい
陶芸 — ceramic art

こだいし
古代史 — ancient history

こふん
古墳 — old burial mound

しそう
思想 — thoughts, ideas

文化 Culture 6番目

化	社	食	日	財	教	食	文	見	賀	財	服	見	語	文	服	詣	祝	年	語
花	物	地	見	化	語	年	教	物	賀	布	詣	祝	初	服	団	財	会	団	見
教	日	日	団	文	文	状	教	詣	賀	神	語	賀	食	地	賀	日	祝	年	文
物	財	会	状	団	教	社	物	年	教	花	見	日	団	年	服	見	団	食	財
見	年	社	団	見	状	服	布	見	地	化	状	日	賀	教	文	詣	日	会	日
神	年	洋	社	日	物	教	見	布	地	祝	賀	初	文	状	会	文	花	財	状
物	祝	賀	語	地	初	地	社	詣	詣	神	会	祝	洋	服	語	食	化	初	財
語	服	財	状	語	花	教	服	服	詣	見	布	祝	状	花	祝	花	服	墓	団
花	文	食	初	社	化	年	財	会	祝	文	化	詣	語	布	服	年	教	教	文
初	洋	年	化	神	洋	神	神	食	墓	団	食	見	文	文	初	初	花	地	花
財	文	物	墓	賀	文	地	見	語	祝	化	文	食	社	物	賀	状	文	化	神
地	状	文	服	花	墓	会	神	会	食	服	化	会	化	詣	布	団	語	花	会
物	会	花	社	文	財	日	文	財	服	詣	布	社	詣	年	状	見	祝	花	花
墓	服	団	日	財	花	墓	教	服	社	墓	教	祝	布	状	詣	会	詣	化	文
日	物	賀	洋	化	神	年	食	初	賀	団	初	墓	神	詣	文	化	団	初	状

ようふく
洋服 western-style clothes

じんじゃ
神社 Shinto shrine

ぶんかざい
文化財 cultural heritage

ものがたり
物語 story, tale

ねんがじょう
年賀状 New Year's card

はなみ
花見 flower viewing

ふとん
布団 Japanese mattress

ぼち
墓地 graveyard

しゅくじつ
祝日 holiday

きょうかい
教会 church

はつもうで
初詣 visit to a shrine on New Year's

ようしょく
洋食 western food

文化 Culture 7番目

化	習	将	碁	文	慣	流	文	化	像	人	習	流	悼	写	流	式	習	気	日
文	雀	気	葬	文	化	化	雀	日	日	道	将	現	交	気	式	写	慣	写	化
日	文	人	碁	慣	碁	写	真	現	人	囲	写	慣	像	麻	碁	交	流	追	文
式	交	碁	真	悼	文	将	将	麻	現	文	交	麻	交	悼	交	人	剣	習	棋
化	麻	道	現	現	剣	交	剣	日	慣	碁	現	追	将	慣	式	悼	写	麻	日
写	像	気	化	日	習	人	悼	棋	剣	追	交	囲	現	祭	剣	像	慣	人	剣
碁	習	囲	棋	化	道	式	悼	雀	習	真	習	将	化	雀	文	気	文	式	日
囲	悼	棋	気	悼	交	人	将	祭	悼	囲	気	道	気	化	棋	祭	葬	雀	式
道	写	将	交	交	囲	道	交	化	道	道	文	日	追	写	人	葬	祭	将	雀
剣	悼	気	道	交	化	雀	流	交	化	文	習	人	剣	麻	人	棋	流	囲	追
流	雀	将	気	習	像	日	気	交	交	化	人	習	文	式	交	雀	真	像	将
写	現	化	交	日	雀	祭	現	写	剣	交	碁	日	像	剣	人	剣	気	麻	悼
囲	慣	葬	日	追	習	習	現	追	追	将	人	人	流	交	真	悼	囲	葬	道
真	剣	像	人	習	追	気	碁	雀	葬	習	碁	祭	囲	葬	習	流	写	雀	将
文	碁	祭	麻	悼	将	像	文	真	道	真	交	化	剣	雀	麻	気	雀	悼	写

そうしき
葬式 — funeral

しょうぎ
将棋 — chess

ぶんかこうりゅう
文化交流 — cultural exchange

さいじつ
祭日 — national holiday

しゃしん
写真 — photographs

まーじゃん
麻雀 — game of mahjong

いご
囲碁 — game of go

ついとう
追悼 — mourning

にんき
人気 — popularity

しゅうかん
習慣 — custom, habit

けんどう
剣道 — kendo

げんぞう
現像 — developing film

文化 Culture 8番目

娯	水	技	像	演	言	技	画	邦	出	技	歌	画	邦	士	水	家	像	家	邦
彫	彫	出	家	像	邦	彫	道	道	道	道	士	像	山	出	手	邦	手	演	水
家	邦	気	俳	演	道	水	気	水	人	山	娯	武	狂	画	娯	山	家	輪	演
彫	俳	技	邦	楽	狂	出	手	俳	出	歌	演	武	水	家	気	武	士	邦	像
水	輪	像	歌	武	士	道	水	気	邦	家	俳	像	技	狂	士	輪	優	邦	輪
家	俳	技	言	画	画	画	楽	優	山	家	手	道	家	家	気	娯	輪	山	邦
気	像	娯	像	画	道	歌	優	手	狂	手	家	気	彫	輪	士	手	家	輪	彫
優	技	士	気	山	輪	邦	山	水	画	気	輪	優	手	俳	道	技	演	演	武
輪	士	道	言	歌	邦	優	彫	楽	気	演	言	優	出	楽	歌	邦	娯	彫	道
手	言	水	水	娯	画	水	像	楽	優	気	言	武	埴	画	娯	武	演	彫	彫
気	家	像	歌	演	画	山	埴	画	歌	気	邦	彫	狂	画	輪	人	出	家	彫
像	水	優	武	手	娯	俳	彫	言	優	狂	優	水	画	俳	歌	山	気	楽	技
気	俳	輪	像	像	手	娯	邦	狂	技	道	輪	狂	出	水	山	邦	像	歌	画
画	邦	言	演	俳	輪	家	道	像	歌	気	山	輪	埴	娯	道	邦	像	出	手
気	人	彫	言	水	水	楽	出	娯	俳	彫	優	演	山	武	言	言	道	画	娯

ちょうぞう
彫 像 sculpture, carved statue

はいゆう
俳 優 male or female actor

きょうげん
狂 言 Japanese comic theater

えんしゅつ
演 出 movie or play production

さんすいが
山水画 landscape painting

が か
画家 painter

えんぎ
演技 performance

ごらく
娯楽 entertainment

はにわ
埴輪 burial mound figure

ほうがく
邦 楽 traditional Japanese music

にんきかしゅ
人気歌手 popular singer

ぶしどう
武士道 ethical code of the samurai

祝日 Holidays

勤	憲	敬	国	ど	人	文	建	人	元	勤	老	謝	海	文	文	日	化	海	念
労	敬	誕	体	元	人	文	体	天	憲	建	国	記	念	の	日	子	の	体	子
勤	供	皇	憲	文	文	誕	老	日	敬	法	文	化	の	日	念	謝	文	供	元
建	勤	誕	子	皇	日	建	海	化	老	み	ど	日	化	老	文	元	皇	生	子
謝	日	の	老	敬	元	育	元	記	体	謝	の	育	労	り	念	天	念	敬	憲
念	体	子	ど	文	国	ど	育	ど	子	育	建	り	ど	皇	老	法	成	勤	日
法	み	育	日	子	人	感	記	憲	体	生	み	ど	老	海	の	日	誕	ど	謝
勤	子	法	の	成	感	り	化	勤	法	国	ど	育	子	海	文	老	文	勤	法
化	化	憲	謝	老	老	ど	憲	り	建	謝	り	供	子	老	念	念	感	文	感
皇	の	労	感	海	勤	記	勤	海	国	老	の	老	育	育	憲	謝	子	供	感
老	体	皇	労	念	文	勤	子	記	日	誕	日	念	国	記	成	法	海	化	謝
り	育	法	勤	み	生	労	憲	老	の	の	供	み	国	供	建	老	記	人	謝
体	育	日	子	体	敬	文	生	勤	文	り	人	皇	感	勤	憲	供	み	念	文
憲	記	体	勤	み	育	化	労	皇	老	元	敬	成	人	ど	記	誕	人	謝	日
国	勤	感	勤	建	化	供	海	感	敬	国	記	の	子	育	日	生	誕	皇	天

がんじつ
元 日 — New Year's Day

せいじんのひ
成人の日 — Coming of Age Day, Jan. 15

けんこくきねんのひ
建国記念の日 — National Foundation Day, Feb. 11

てんのうたんじょうび
天 皇 誕 生 日 — Emperor's Birthday, Feb. 23

みどりのひ
みどりの日 — Greenery Day, April 29

けんぽうきねんび
憲法記念日 — Constitution Day, May 3

こどものひ
子供の日 — Children's Day, May 5

うみのひ
海の日 — Marine Day, July 20

けいろうのひ
敬老の日 — Respect for the Aged Day, Sept. 21

たいいくのひ
体育の日 — Sports Day, Oct. 12

ぶんかのひ
文化の日 — Culture Day, Nov. 3

きんろうかんしゃのひ
勤労感謝の日 — Labor Thanksgiving Day, Nov. 23

スポーツ Sports 1番目

<table>
<tr><td>負</td><td>力</td><td>泳</td><td>士</td><td>道</td><td>団</td><td>空</td><td>道</td><td>球</td><td>士</td><td>力</td><td>相</td><td>技</td><td>競</td><td>空</td><td>卓</td><td>空</td><td>士</td><td>馬</td><td>手</td></tr>
<tr><td>道</td><td>道</td><td>勝</td><td>馬</td><td>道</td><td>力</td><td>乗</td><td>負</td><td>決</td><td>水</td><td>手</td><td>力</td><td>乗</td><td>負</td><td>柔</td><td>馬</td><td>空</td><td>相</td><td>道</td><td>水</td></tr>
<tr><td>競</td><td>泳</td><td>勝</td><td>技</td><td>撲</td><td>力</td><td>柔</td><td>手</td><td>撲</td><td>卓</td><td>柔</td><td>柔</td><td>球</td><td>柔</td><td>団</td><td>卓</td><td>球</td><td>士</td><td>撲</td><td>道</td></tr>
<tr><td>技</td><td>柔</td><td>卓</td><td>団</td><td>決</td><td>負</td><td>力</td><td>技</td><td>泳</td><td>空</td><td>競</td><td>球</td><td>空</td><td>馬</td><td>撲</td><td>馬</td><td>負</td><td>競</td><td>団</td><td>決</td></tr>
<tr><td>競</td><td>力</td><td>空</td><td>空</td><td>技</td><td>決</td><td>撲</td><td>卓</td><td>勝</td><td>球</td><td>負</td><td>道</td><td>相</td><td>泳</td><td>士</td><td>空</td><td>卓</td><td>決</td><td>競</td><td>力</td></tr>
<tr><td>技</td><td>相</td><td>柔</td><td>泳</td><td>負</td><td>水</td><td>決</td><td>卓</td><td>乗</td><td>泳</td><td>道</td><td>球</td><td>道</td><td>空</td><td>球</td><td>負</td><td>力</td><td>技</td><td>競</td><td>道</td></tr>
<tr><td>乗</td><td>負</td><td>士</td><td>団</td><td>柔</td><td>負</td><td>撲</td><td>泳</td><td>馬</td><td>泳</td><td>勝</td><td>道</td><td>手</td><td>乗</td><td>力</td><td>負</td><td>競</td><td>水</td><td>力</td><td>相</td></tr>
<tr><td>力</td><td>手</td><td>勝</td><td>競</td><td>乗</td><td>士</td><td>決</td><td>泳</td><td>馬</td><td>馬</td><td>卓</td><td>撲</td><td>競</td><td>技</td><td>卓</td><td>道</td><td>撲</td><td>力</td><td>団</td><td>力</td></tr>
<tr><td>泳</td><td>勝</td><td>技</td><td>相</td><td>柔</td><td>相</td><td>乗</td><td>相</td><td>相</td><td>泳</td><td>空</td><td>技</td><td>士</td><td>決</td><td>泳</td><td>力</td><td>手</td><td>撲</td><td>決</td><td>卓</td></tr>
<tr><td>相</td><td>泳</td><td>団</td><td>相</td><td>馬</td><td>卓</td><td>空</td><td>柔</td><td>力</td><td>力</td><td>力</td><td>卓</td><td>柔</td><td>馬</td><td>卓</td><td>決</td><td>卓</td><td>決</td><td>馬</td><td>負</td></tr>
<tr><td>相</td><td>士</td><td>決</td><td>球</td><td>決</td><td>技</td><td>相</td><td>勝</td><td>競</td><td>撲</td><td>泳</td><td>力</td><td>馬</td><td>士</td><td>撲</td><td>馬</td><td>手</td><td>馬</td><td>柔</td><td>力</td></tr>
<tr><td>空</td><td>馬</td><td>水</td><td>水</td><td>手</td><td>泳</td><td>柔</td><td>相</td><td>技</td><td>団</td><td>水</td><td>球</td><td>技</td><td>負</td><td>技</td><td>手</td><td>道</td><td>馬</td><td>空</td><td>負</td></tr>
<tr><td>水</td><td>決</td><td>決</td><td>乗</td><td>団</td><td>力</td><td>乗</td><td>力</td><td>柔</td><td>負</td><td>馬</td><td>空</td><td>馬</td><td>団</td><td>力</td><td>競</td><td>柔</td><td>競</td><td>士</td><td>道</td></tr>
<tr><td>力</td><td>柔</td><td>団</td><td>力</td><td>勝</td><td>手</td><td>競</td><td>泳</td><td>柔</td><td>馬</td><td>空</td><td>水</td><td>団</td><td>水</td><td>水</td><td>技</td><td>士</td><td>決</td><td>道</td><td>技</td></tr>
<tr><td>技</td><td>水</td><td>空</td><td>空</td><td>力</td><td>泳</td><td>勝</td><td>球</td><td>撲</td><td>泳</td><td>球</td><td>道</td><td>手</td><td>撲</td><td>負</td><td>競</td><td>水</td><td>勝</td><td>力</td><td>馬</td></tr>
</table>

すもう
相撲 — sumo wresting

りきし
力士 — sumo wrestler

けっしょう
決勝 — final match

しょうぶ
勝負 — game, contest, match

きゅうだん
球団 — baseball team

じゅうどう
柔道 — judo

からて
空手 — karate

じょうば
乗馬 — horse riding

けいば
競馬 — horse race

すいえい
水泳 — swimming

たっきゅう
卓球 — table tennis

きゅうぎ
球技 — ball game

スポーツ Sports 2番目

野	会	選	練	動	俵	育	試	野	習	手	育	俵	球	体	試	場	体	館	土
育	運	場	動	館	大	動	会	分	動	操	会	勝	選	動	手	場	け	分	運
俵	大	習	場	分	き	手	球	会	土	館	合	引	会	大	操	引	合	引	野
手	練	試	分	操	館	育	体	動	勝	運	野	俵	優	操	合	引	球	合	大
操	け	大	動	会	習	大	野	習	動	球	体	手	習	習	動	引	き	習	優
選	け	け	合	動	育	引	手	大	育	習	操	習	試	野	引	勝	選	優	合
野	選	育	大	野	試	大	試	合	勝	育	習	分	習	選	き	球	体	会	勝
け	試	動	手	俵	試	練	運	手	引	館	館	球	俵	野	分	合	館	合	け
俵	試	野	練	選	動	土	育	野	動	場	会	練	合	引	け	会	野	け	館
館	選	俵	試	場	引	育	手	引	け	館	引	育	球	分	引	き	野	館	土
試	け	練	け	体	育	野	運	け	分	合	場	体	き	分	引	練	会	試	試
き	け	け	手	大	館	場	野	体	大	俵	野	選	引	操	き	手	け	勝	大
き	球	け	分	場	野	育	合	合	習	試	選	運	球	試	育	運	手	勝	練
大	優	会	合	選	土	手	育	会	会	け	習	合	優	場	優	育	手	俵	球
引	習	俵	土	球	分	球	手	会	会	試	会	運	練	引	動	習	大	け	球

うんどう
運動 exercise

れんしゅう
練習 practice

しあい
試合 match

せんしゅ
選手 player

たいかい
大会 tournament

やきゅう
野球 baseball

どひょう
土俵 ring

たいいくかん
体育館 gymnasium

ゆうしょう
優勝 victory

たいそう
体操 gymnastics

ひきわけ
引き分け draw, tie

きゅうじょう
球場 baseball stadium

解答 Solutions

営業 Business 1番目

置	企	大	負	装	債	保	資	本	意	座	計	先	大	金	画	先	債	本	装
負	画	企	本	業	投	投	投	装	告	投	投	装	置	保	代	大	張	義	債
保	代	業	置	資	主	意	投	金	先	出	本	得	告	広	義	投	本	得	画
金	広	出	出	資	置	投	金	得	本	企	先	税	業	険	意	装	先	座	置
張	企	計	座	計	険	業	口	業	意	座	投	義	業	座	本	計	出	業	大
先	負	税	画	業	資	広	険	主	座	得	負	店	先	計	負	義	主	本	資
大	代	広	先	張	保	大	代	金	負	出	主	大	大	債	出	負	税	業	代
口	投	税	義	出	装	口	意	口	広	投	義	業	主	告	得	口	大	資	大
代	本	画	保	負	資	理	負	口	意	資	資	代	計	意	業	座	業	企	負
投	得	広	意	主	口	税	金	代	計	企	出	主	先	主	債	広	置	座	得
大	理	張	負	険	意	口	険	険	険	本	保	主	税	計	債	義	得	座	企
意	装	本	税	大	口	画	税	画	税	本	口	店	税	理	代	険	大	資	本
資	画	得	意	険	出	資	主	装	張	企	張	本	計	本	企	理	負	税	企
置	店	意	業	座	債	置	画	計	資	投	主	先	険	張	投	険	店	理	企
険	主	装	理	置	資	資	理	主	債	告	負	企	張	保	義	本	理	税	大

営業 Business 2番目

商	送	調	送	品	割	調	調	合	注	貯	急	割	査	査	注	通	査	注	売
貯	求	運	文	帳	書	書	物	蓄	品	調	送	運	運	請	税	刺	注	刺	送
通	調	調	貯	騰	求	帳	注	急	書	調	標	刺	合	帳	合	合	調	蓄	求
合	送	名	通	運	合	合	費	上	請	調	上	注	刺	騰	品	通	書	査	騰
求	税	書	名	上	帳	書	貯	割	蓄	帳	割	急	上	文	名	上	求	げ	注
げ	割	標	商	げ	求	合	割	税	急	げ	物	急	割	騰	合	げ	貯	請	名
物	急	送	急	請	合	げ	帳	げ	上	貯	求	査	上	上	書	急	費	割	売
物	送	蓄	書	費	送	費	げ	割	物	刺	商	上	蓄	蓄	貯	運	通	割	物
注	上	蓄	査	書	蓄	査	通	帳	品	売	刺	通	書	費	税	刺	急	費	調
品	請	通	査	書	注	標	注	費	商	求	上	運	調	合	求	請	上	売	注
蓄	名	品	合	求	税	調	運	売	騰	割	上	げ	注	蓄	名	売	貯	注	げ
刺	税	費	帳	費	請	刺	物	品	税	注	物	名	注	送	運	税	上	上	名
調	注	注	請	文	税	注	費	騰	文	売	急	費	品	注	請	文	標	注	帳
割	帳	査	帳	売	名	品	商	求	送	騰	げ	査	注	帳	物	調	費	送	運
求	税	割	帳	合	査	売	査	査	運	送	帳	売	送	刺	求	送	求	刺	求

営業 Business 3番目

均	述	関	競	費	書	競	書	費	費	替	益	格	市	費	純	場	平	格	面
格	競	告	関	状	純	用	告	用	競	均	定	接	場	成	記	務	平	替	替
格	競	為	安	格	書	広	長	記	替	務	務	書	価	面	安	広	純	均	信
事	市	成	記	定	費	状	市	税	書	務	純	安	格	職	場	安	職	書	用
面	信	定	告	替	競	関	費	告	告	平	面	費	長	為	告	市	場	関	税
記	状	面	用	書	価	場	職	用	告	競	競	平	長	安	平	安	書	用	純
税	用	場	述	競	用	益	替	場	価	状	益	成	替	場	為	面	市	格	替
述	告	記	税	書	広	面	信	事	関	安	定	関	述	市	競	信	事	純	用
価	務	競	務	面	書	均	価	接	接	安	競	価	接	関	価	用	書	格	状
職	告	記	広	定	純	安	職	成	書	述	争	職	純	務	競	状	純	替	為
純	状	価	安	純	務	為	費	信	接	平	費	安	面	成	告	価	格	争	費
面	場	状	関	接	平	安	為	書	安	長	為	広	為	純	費	関	替	務	広
為	益	務	記	費	務	事	格	告	純	信	職	記	場	競	状	価	益	定	競
費	争	接	面	状	職	述	平	費	成	競	長	述	広	務	面	定	争	場	長
広	告	告	純	職	替	用	関	述	接	平	接	安	用	益	純	純	市	価	長

営業 Business 4番目

需	期	配	配	顧	配	料	告	金	流	通	業	者	き	り	要	需	料	業	流
期	通	引	き	引	割	配	給	価	資	給	償	割	流	割	価	長	納	割	配
業	要	納	割	配	告	業	客	書	り	価	割	償	給	期	書	要	分	り	配
き	長	納	給	書	却	き	業	業	繰	報	報	告	書	営	償	部	営	業	報
供	引	償	要	期	期	給	料	り	金	告	却	却	期	料	報	価	要	通	償
引	き	配	者	者	期	告	客	資	資	書	告	り	客	業	客	引	料	告	り
者	割	繰	き	配	告	給	需	り	部	資	き	給	価	告	資	要	引	給	報
流	り	報	供	減	金	客	却	繰	供	引	期	納	繰	長	価	価	割	客	繰
報	配	書	流	金	業	引	者	減	き	長	償	繰	営	者	通	通	流	減	金
繰	業	告	業	者	長	書	報	金	引	書	流	繰	繰	通	減	要	顧	客	期
告	給	報	給	分	割	割	給	金	引	長	金	却	料	金	顧	配	期	却	部
期	供	業	告	書	繰	分	配	給	部	き	償	長	供	書	金	引	割	引	分
り	者	営	納	引	業	需	長	割	納	価	金	通	り	減	客	金	顧	期	供
価	給	き	通	減	告	顧	割	客	減	却	り	書	供	者	き	割	報	繰	報
償	償	却	者	資	告	者	給	き	繰	納	流	償	要	減	料	報	給	償	需

営業 Business 5番目

購	者	集	支	品	門	専	下	下	金	発	門	金	欲	門	者	欲	欲	集	注
力	集	発	欲	問	売	問	機	投	購	頭	業	支	問	欲	頭	失	屋	易	発
購	発	請	支	失	力	業	買	屋	脳	請	売	購	予	投	金	量	支	注	量
年	注	予	者	専	品	下	測	集	頭	者	頭	企	請	屋	失	品	量	年	頭
年	買	脳	頭	意	業	購	団	団	力	支	者	失	易	収	注	売	請	易	業
屋	販	売	機	集	支	年	門	企	業	年	金	集	年	屋	屋	金	機	企	問
売	測	頭	量	欲	脳	量	貿	易	収	支	下	団	発	屋	注	失	請	金	注
業	収	収	意	門	頭	機	年	頭	予	問	屋	企	品	売	失	下	失	頭	屋
失	測	売	金	機	貿	門	品	失	機	年	金	下	機	金	欲	易	貿	量	脳
力	販	業	販	意	貿	欲	販	機	業	購	門	販	収	貿	販	業	企	投	下
販	貿	脳	門	屋	失	予	品	失	予	者	専	品	下	投	投	屋	団	脳	下
測	量	専	発	集	売	集	企	注	測	門	購	購	下	貿	購	買	門	欲	者
品	企	欲	請	企	失	欲	脳	意	予	年	量	頭	力	購	注	請	脳	機	販
業	販	問	力	問	投	販	専	発	売	金	売	量	機	量	発	専	意	力	発
機	売	投	金	欲	貿	測	売	発	販	金	専	収	集	企	力	買	購	業	集

営業 Business 6番目

売	財	閥	格	示	本	監	財	品	経	製	財	純	販	店	売	製	監	本	格
り	純	形	格	閥	販	産	戦	財	製	れ	役	本	り	戦	監	製	積	製	販
示	営	財	産	売	査	品	形	り	積	見	形	資	切	財	販	販	入	切	査
れ	価	査	戦	資	切	札	本	役	入	産	本	格	表	店	入	り	戦	査	形
外	外	略	札	表	純	営	入	れ	財	本	れ	店	純	手	表	査	閥	格	見
価	品	製	国	外	財	純	切	れ	査	積	見	表	見	格	示	査	販	国	格
役	査	監	製	品	示	品	格	外	販	国	本	示	れ	手	れ	品	戦	経	純
査	れ	査	閥	積	格	財	本	販	戦	積	閥	品	手	経	産	札	財	資	れ
産	戦	製	本	資	資	格	切	積	産	積	監	示	格	戦	品	営	格	れ	外
純	本	り	表	監	切	閥	積	売	札	外	れ	売	表	れ	形	役	積	形	り
示	売	本	閥	監	店	札	本	監	営	表	本	財	販	示	売	監	本	入	り
査	形	価	手	査	り	役	産	積	示	略	り	査	国	純	価	閥	営	査	店
外	営	品	営	本	手	表	戦	略	品	切	手	製	形	り	国	格	店	販	価
表	札	手	り	略	閥	形	表	積	役	外	本	純	積	国	国	価	財	示	資
形	品	れ	戦	り	経	営	国	製	産	積	形	製	純	営	略	価	表	品	品

解答 Solutions

営業 Business 7番目

領	会	収	給	脳	収	収	基	効	費	出	割	監	者	株	割	き	脳	会	流
流	頭	類	率	委	現	消	引	基	通	者	収	流	類	監	役	通	員	役	役
給	流	消	出	給	費	現	査	株	効	給	給	類	収	給	流	委	割	金	会
流	基	領	取	者	査	類	締	取	流	出	引	普	本	頭	会	者	収	者	取
脳	者	収	取	頭	株	者	割	給	出	頭	率	株	取	収	現	給	会	書	書
き	現	書	監	費	株	通	普	効	書	監	費	通	費	査	き	頭	き	役	費
効	引	割	消	収	引	類	員	出	通	消	書	領	監	引	出	査	費	金	類
者	類	取	費	脳	頭	締	給	書	給	委	役	頭	現	委	き	現	査	現	会
頭	給	費	流	給	役	き	費	出	委	収	脳	頭	株	収	監	本	引	委	現
書	消	領	現	費	き	現	収	類	通	流	給	領	流	監	効	割	流	査	員
率	出	員	脳	収	効	流	費	脳	出	者	本	き	流	取	委	締	締	会	委
株	出	役	通	率	締	会	書	類	締	監	基	効	者	消	書	委	会	者	費
者	監	現	出	監	金	割	流	会	率	収	監	き	通	給	役	役	通	普	領
監	給	流	引	割	金	現	監	会	者	監	き	本	率	割	締	給	金	給	効
割	脳	引	締	消	査	き	脳	領	割	現	流	収	委	取	本	監	領	出	頭

営業 Business 8番目

会	売	目	店	持	長	長	社	基	り	書	受	手	基	り	計	標	課	手	価
持	店	店	り	売	安	会	標	基	度	長	計	基	付	準	大	社	り	付	年
課	入	年	売	裏	度	度	安	基	書	準	書	入	標	持	会	大	社	会	計
基	課	売	格	持	年	大	格	基	社	社	会	持	株	会	社	度	標	価	付
手	り	受	格	社	計	課	目	持	裏	付	価	持	安	準	会	社	受	売	目
年	店	課	持	売	会	準	売	店	り	会	社	入	安	店	書	基	手	社	会
り	手	店	受	受	計	持	価	大	持	受	格	手	安	株	株	計	目	長	会
売	長	標	価	計	受	準	目	価	持	売	受	年	計	社	標	会	標	価	受
株	り	長	基	裏	目	目	手	付	会	手	基	長	秘	持	受	入	準	手	持
店	会	株	手	持	長	計	度	長	入	目	格	店	標	手	年	課	り	価	度
長	基	株	裏	格	計	入	売	目	安	標	売	安	裏	持	長	り	社	度	標
標	売	株	り	裏	度	安	目	計	格	価	課	基	付	価	手	度	安	大	大
り	会	売	安	年	り	大	書	手	安	格	大	店	受	準	価	大	価	売	社
裏	標	度	長	社	社	価	社	書	秘	度	課	書	準	入	格	り	秘	手	秘
受	書	大	大	売	課	書	店	店	店	課	受	売	標	売	付	持	目	目	度

営業 Business 9番目

店	い	争	支	長	株	式	会	社	争	張	原	価	百	原	所	争	副	価	店
争	価	副	争	式	職	職	品	造	価	新	張	原	社	支	支	評	原	務	開
式	品	い	新	出	新	払	子	百	評	開	店	開	百	店	出	子	式	造	発
子	長	発	所	開	会	品	出	品	払	い	当	開	製	品	会	新	支	出	長
競	過	副	評	製	造	過	製	副	払	品	会	争	株	社	支	出	新	造	競
会	価	店	当	価	百	貨	店	争	株	評	競	品	貨	原	評	社	支	長	開
い	い	副	原	子	支	い	張	品	品	当	副	新	価	争	店	払	造	い	競
競	社	所	評	品	社	払	支	払	過	新	開	長	新	価	払	造	当	張	株
長	式	社	百	張	製	払	株	開	開	職	い	品	製	新	子	競	造	価	開
貨	発	製	新	払	当	職	造	張	職	払	店	務	出	張	所	店	過	争	式
争	原	所	社	争	副	務	開	百	造	払	発	出	製	支	所	貨	所	長	新
過	当	長	式	店	務	評	製	争	争	過	貨	副	副	社	製	新	出	職	張
職	い	百	副	会	式	価	造	競	式	社	当	価	張	競	支	新	張	払	社
原	払	新	い	新	過	当	原	当	い	造	支	競	出	所	発	社	品	子	貨
貨	支	開	所	支	品	過	価	評	払	価	当	張	社	新	職	新	貨	張	製

営業 Business 10番目

経	所	経	得	行	貸	間	照	工	所	経	学	額	金	預	行	銀	貸	行	学
預	得	課	消	照	銀	人	対	学	営	営	予	商	経	税	対	商	額	行	行
景	消	営	課	表	行	戦	荒	経	額	金	費	業	総	額	券	気	券	略	行
銀	利	測	額	気	券	表	行	金	税	戦	気	銀	学	経	銀	券	課	銀	表
利	工	略	予	行	税	景	照	得	額	行	業	行	人	預	費	営	利	照	銀
対	略	表	税	経	行	行	学	対	人	表	工	費	経	照	貸	学	人	得	商
税	表	総	測	預	戦	表	利	予	借	課	預	対	総	金	人	工	表	行	預
学	税	得	利	荒	略	人	経	得	学	貸	表	利	消	間	業	消	券	表	額
略	費	所	券	所	消	戦	商	学	荒	工	営	戦	対	銀	消	商	間	税	課
課	消	景	税	預	気	行	額	銀	預	得	営	得	営	行	経	表	借	経	営
工	金	予	金	貸	金	学	予	経	人	人	行	略	額	商	得	総	税	略	対
行	業	所	気	荒	券	業	貸	券	所	所	貸	工	照	表	景	預	銀	表	荒
荒	略	税	略	戦	営	経	測	消	略	税	銀	貸	商	金	気	工	業	荒	戦
所	消	測	学	工	学	照	業	総	得	学	工	間	人	利	予	工	貸	戦	戦
略	学	照	費	略	測	消	得	所	経	戦	券	券	課	工	測	業	課	所	景

経済 Economics 1番目

政	輸	産	株	式	資	式	主	経	金	易	本	金	貿	輸	価	貨	財	輸	政
貿	出	財	幣	入	資	主	本	政	資	入	経	幣	株	輸	株	貨	貿	資	済
幣	幣	入	政	資	株	出	幣	政	出	貿	産	入	貿	株	幣	株	資	式	幣
式	産	政	式	易	幣	財	価	主	式	式	貿	本	済	済	株	入	易	資	貿
式	金	産	貿	本	済	貿	本	貿	式	出	金	出	価	貿	産	財	入	出	株
貨	政	済	幣	財	産	株	貿	本	主	経	産	式	式	経	金	産	幣	易	金
易	済	入	易	金	輸	貨	輸	金	貨	出	政	産	金	産	式	輸	式	本	価
易	資	資	財	金	産	易	産	主	済	金	済	済	式	貨	政	本	経	幣	本
本	政	貨	経	経	主	貨	貨	貨	主	金	易	易	主	済	貿	輸	株	金	財
経	貨	経	貿	輸	本	易	経	済	貿	入	価	式	資	財	貨	輸	本	経	易
出	主	主	産	財	株	財	出	価	産	幣	資	財	入	主	入	本	金	易	財
経	政	経	易	財	幣	出	出	価	財	産	幣	貿	式	入	主	貿	貨	財	経
出	貿	経	価	金	経	易	経	貿	貨	産	株	入	産	貿	経	価	済	出	入
経	株	金	産	金	政	貨	貨	貨	政	易	本	貿	本	主	入	幣	済	入	経
貿	出	入	本	産	貨	金	出	産	経	出	貨	金	貨	本	済	財	産	出	貨

経済 Economics 2番目

利	産	源	費	費	字	子	投	財	投	黒	財	経	潤	産	源	得	倒	黒	産
利	投	字	金	財	資	資	所	子	得	倒	赤	赤	子	回	子	赤	赤	金	潤
赤	倒	費	り	金	回	経	源	経	回	黒	金	源	赤	産	赤	潤	子	回	投
金	字	産	赤	得	産	源	得	得	利	回	得	金	源	産	費	金	投	経	倒
財	金	経	投	回	利	回	源	費	財	費	財	所	経	源	黒	費	財	子	倒
経	字	金	字	財	得	費	費	産	子	金	潤	回	り	金	倒	子	潤	回	字
潤	投	費	回	投	源	字	字	得	回	投	回	投	経	子	倒	投	所	経	資
倒	得	産	潤	産	得	資	得	字	財	子	字	金	子	子	金	黒	経	金	赤
源	金	赤	利	字	金	赤	潤	回	得	回	経	字	得	黒	得	経	資	資	所
資	産	費	り	経	産	回	子	産	経	金	利	字	源	利	利	利	利	源	利
得	源	黒	黒	赤	得	得	黒	源	子	産	字	費	産	黒	投	財	資	回	投
投	回	黒	利	財	財	投	源	り	黒	子	字	字	子	源	回	赤	回	倒	り
子	産	り	所	倒	得	赤	潤	資	利	得	潤	回	り	回	費	回	回	費	源
得	金	り	倒	子	金	投	回	所	回	字	費	経	り	潤	産	費	費	字	資
り	子	潤	金	所	赤	経	子	所	経	子	投	利	黒	所	資	源	得	黒	財

解答 Solutions

経済 Economics 3番目

販	販	計	外	統	営	営	需	統	需	事	需	売	制	制	限	需	限	外	営
計	制	卸	販	者	内	限	会	需	販	小	営	商	営	小	業	卸	業	需	計
制	卸	小	統	限	貨	事	限	外	者	貨	会	売	需	内	会	制	業	卸	制
計	卸	者	限	統	計	販	外	統	卸	内	売	事	売	統	業	会	外	卸	貨
制	需	卸	商	事	事	計	商	卸	業	統	貨	貨	計	外	限	卸	者	者	計
会	業	営	制	制	外	卸	需	卸	会	販	限	会	販	統	限	者	者	制	貨
卸	外	需	売	営	外	卸	営	限	者	需	貨	業	内	商	外	外	販	需	卸
統	統	計	者	計	需	営	統	貨	需	統	計	内	限	内	事	卸	業	需	貨
卸	限	卸	外	商	者	売	商	者	売	限	事	統	商	計	卸	限	計	業	統
小	事	売	外	計	商	営	小	営	事	内	貨	商	統	者	商	者	外	小	貨
事	統	会	業	小	販	営	限	貨	販	卸	者	小	事	小	販	内	制	会	需
限	小	内	業	統	卸	内	卸	者	貨	者	計	卸	需	外	営	卸	卸	者	事
外	会	販	事	会	営	貨	業	卸	小	需	制	外	需	商	営	限	者	営	外
事	貨	限	事	制	卸	会	統	業	貨	業	業	卸	小	計	事	売	事	会	需
営	貨	需	商	商	貨	卸	外	商	小	内	制	制	統	商	者	販	者	制	営

経済 Economics 4番目

納	買	格	荷	益	価	出	通	通	原	荷	貨	物	入	出	貨	支	益	通	原
納	通	格	益	価	価	益	原	収	入	荷	通	物	通	原	格	納	通	荷	買
買	納	納	納	荷	価	納	物	格	荷	入	物	益	格	格	貨	収	収	通	入
格	納	貨	益	荷	通	荷	物	通	荷	原	荷	物	納	買	荷	原	物	荷	価
物	荷	収	価	納	原	買	納	原	原	納	支	納	納	納	格	荷	原	買	価
原	納	貨	荷	益	支	物	格	格	格	荷	価	納	収	通	益	通	支	納	益
益	貨	貨	価	通	益	支	益	納	収	原	収	荷	荷	通	価	物	荷	格	通
納	格	買	入	買	格	物	支	支	荷	物	収	通	原	買	支	通	益	通	益
益	貨	原	貨	物	収	貨	貨	貨	格	収	荷	格	物	貨	納	荷	支	価	益
支	原	出	出	格	出	価	入	貨	格	納	通	益	荷	荷	収	格	貨	貨	格
納	原	収	物	入	入	益	買	入	買	買	買	価	貨	格	格	格	出	荷	物
格	通	出	格	支	入	格	益	価	買	買	荷	益	荷	支	格	出	通	収	貨
出	益	納	益	買	支	益	納	貨	入	荷	原	物	買	通	物	益	通	格	収
益	格	格	荷	納	買	買	買	支	買	貨	貨	支	入	支	荷	通	納	原	出
荷	納	収	物	通	益	荷	通	通	益	原	物	荷	原	納	通	荷	支	物	支

経済 Economics 5番目

貿	融	高	金	貿	貿	高	貯	額	貯	易	高	赤	安	貯	額	貿	易	値	字
代	貯	易	底	預	高	底	易	字	預	代	字	現	貿	底	貿	易	赤	字	字
終	代	安	赤	字	額	安	赤	値	額	安	貯	安	黒	黒	終	易	高	預	黒
預	赤	赤	貿	額	貿	融	融	貿	底	貿	底	高	金	易	貯	代	黒	字	黒
赤	黒	値	字	貯	融	字	預	安	安	額	底	貿	現	貿	字	高	底	易	終
額	終	黒	値	赤	貿	易	底	代	易	高	代	易	終	易	高	黒	安	代	黒
字	融	預	貯	現	安	金	字	現	代	貯	融	現	融	高	預	融	易	安	融
貿	易	額	現	高	貿	金	底	底	貯	現	現	易	終	底	終	高	代	貿	終
現	貿	預	字	現	易	字	赤	預	代	終	高	底	底	金	安	易	貯	終	金
預	値	易	値	赤	終	易	易	底	現	終	額	代	底	貯	高	字	額	赤	金
高	易	貿	字	額	赤	赤	字	赤	底	字	終	貯	代	現	高	融	字	赤	代
高	黒	金	融	字	現	貿	終	貯	赤	黒	高	易	字	赤	易	現	黒	黒	易
現	底	終	終	終	黒	安	終	赤	安	底	額	金	底	融	貯	代	融	額	底
赤	安	底	融	底	代	終	安	字	貯	代	安	赤	貿	貯	値	易	安	融	安
代	字	代	終	貯	赤	黒	底	安	額	貯	額	終	字	安	代	赤	赤	易	終

経済 Economics 6番目

支	管	融	費	社	市	外	管	市	市	管	場	場	外	市	高	栄	用	円	管
栄	用	融	市	円	融	外	用	社	資	支	繁	流	外	商	通	外	理	管	社
安	用	理	繁	高	費	安	用	管	流	管	支	繁	場	高	場	円	用	市	費
場	通	本	支	安	資	安	支	栄	資	安	外	商	場	管	本	場	流	融	安
外	費	市	通	費	費	支	支	資	通	用	通	理	本	市	通	繁	用	融	流
円	融	外	繁	場	栄	円	安	場	商	栄	商	理	流	商	用	社	円	栄	場
理	本	外	社	理	商	融	用	用	用	通	資	流	融	流	資	場	管	費	社
理	理	外	通	流	本	繁	管	支	場	円	場	管	流	円	社	流	管	栄	安
外	市	高	管	本	場	用	高	安	理	資	繁	安	栄	場	費	費	繁	市	通
社	商	安	本	外	安	管	外	商	支	通	支	安	通	商	高	繁	支	外	円
資	資	費	安	市	費	外	外	円	支	栄	資	安	資	高	管	融	安	社	栄
通	本	商	外	安	流	安	流	管	商	商	支	支	通	商	融	場	繁	安	安
商	外	費	資	流	本	社	安	流	高	通	支	商	繁	管	資	理	繁	高	融
円	本	安	支	流	高	資	費	流	資	安	費	用	円	費	高	商	理	理	商
円	通	商	費	繁	社	流	資	流	理	流	支	外	場	本	資	流	用	市	支

経済 Economics 7番目

買	投	銀	沈	銀	手	手	銀	小	復	家	都	算	買	家	沈	市	切	資	手
回	場	市	手	売	滞	消	都	算	商	都	家	動	変	商	切	場	滞	銀	通
動	都	費	市	回	投	資	行	都	沈	算	動	景	都	沈	商	銀	都	手	商
小	景	回	算	投	売	銀	銀	売	気	滞	動	気	回	算	行	変	気	買	変
気	回	市	投	費	市	景	場	滞	投	滞	銀	回	滞	沈	市	市	行	気	通
算	行	小	売	都	費	行	気	滞	行	気	動	復	場	商	市	売	場	回	動
場	切	銀	変	手	市	資	滞	変	費	都	買	費	変	回	切	市	商	行	算
手	予	小	景	商	費	景	家	市	動	算	家	予	銀	投	手	消	行	売	買
行	行	行	小	回	消	商	商	行	買	滞	消	消	通	買	動	沈	銀	通	切
回	商	銀	景	売	商	沈	小	費	沈	都	資	通	市	売	費	市	沈	予	売
算	市	気	小	変	投	都	通	資	回	行	予	動	滞	算	費	沈	市	復	動
算	沈	買	銀	小	投	変	予	算	復	景	場	景	資	家	家	手	都	家	算
滞	都	家	消	家	手	費	商	気	変	通	資	買	費	通	気	手	投	投	小
切	都	算	資	変	沈	動	切	小	切	回	家	売	売	費	沈	沈	消	予	銀
行	小	投	算	手	買	行	売	投	銀	滞	銀	算	場	気	売	家	消	消	切

経済 Economics 8番目

相	外	国	為	替	活	済	長	貨	向	品	行	国	通	外	国	産	貨	費	済
長	行	長	長	券	外	証	為	取	産	不	費	市	活	通	産	動	貨	産	際
済	消	景	景	外	証	景	品	国	動	相	活	行	証	経	済	動	向	場	不
外	動	者	不	国	品	費	券	産	場	貨	外	経	経	不	景	気	産	景	景
済	済	品	活	券	経	気	市	品	向	場	貨	消	消	不	向	取	場	場	経
生	費	場	場	経	景	活	証	行	済	引	向	際	経	費	気	替	市	貨	商
商	貨	貨	通	為	外	券	外	証	際	不	景	経	相	証	者	出	取	輸	産
際	者	品	不	相	貨	産	為	費	生	貨	輸	輸	活	券	輸	行	不	貨	活
経	取	景	景	場	通	生	活	不	行	証	経	出	場	向	成	活	動	産	費
動	証	引	外	商	際	市	国	通	券	不	為	済	外	成	景	為	市	成	活
向	者	商	動	市	国	者	産	取	場	取	費	品	成	品	動	国	生	済	生
消	者	動	景	相	不	券	引	長	商	場	出	長	向	長	替	者	品	出	品
産	産	出	成	気	引	産	国	為	際	品	者	相	経	輸	為	外	貨	気	引
品	際	行	済	相	券	為	為	替	相	場	動	際	際	相	貨	商	為	成	証
為	出	済	為	活	活	成	際	活	場	証	済	景	経	生	生	券	輸	不	品

解答 Solutions

政治 Politics 1番目

与 府 界 左 策 党 派 国 府 治 閥 治 策 家 府 与 治 治 与 与
左 界 国 治 左 家 派 府 閥 右 国 府 派 与 策 派 界 家 政 民
治 派 与 右 左 家 党 治 府 左 左 界 民 派 国 派 策 左 左 左
界 界 野 左 民 治 与 右 野 家 野 民 与 派 家 野 府 策 国 策
界 与 与 政 右 右 策 右 治 策 治 閥 府 民 野 派 策 国 界 派
家 界 国 閥 党 民 野 派 与 与 与 家 与 左 野 民 派 策 界 野
党 左 府 府 家 治 界 治 野 策 政 民 民 政 界 民 界 党 国 野
党 閥 治 与 治 党 左 府 派 与 民 派 政 民 左 府 策 閥 府 野
左 治 府 右 閥 治 策 与 策 界 国 与 野 右 右 治 治 家 右 国
右 左 策 界 界 与 野 与 派 国 派 派 政 与 右 府 治 与 野 与
家 治 党 党 左 家 府 策 国 政 国 与 派 民 界 民 治 国 治 府
左 民 治 民 界 党 派 策 野 野 府 策 民 派 策 右 界 治 閥 治
与 閥 策 派 家 治 民 家 策 右 左 党 治 家 界 民 左 野 党 党
右 民 閥 家 野 界 野 民 治 閥 国 界 家 治 野 閥 治 界 家 府
党 閥 家 閥 民 左 策 界 閥 与 国 与 民 派 民 策 野 野 派 派

政治 Politics 2番目

主 立 主 者 補 修 立 改 補 主 分 法 補 者 分 法 行 修 修 法
者 補 政 立 政 行 有 政 行 法 正 主 行 棄 立 政 行 司 行 有
権 補 主 主 法 司 分 有 主 三 司 正 正 分 司 権 改 権 修 法
法 者 補 棄 法 修 棄 分 行 棄 法 主 行 有 行 改 権 法 修 司
政 法 修 棄 改 立 改 権 改 法 分 行 正 有 正 者 修 行 棄 立
法 政 者 法 三 者 行 分 補 立 者 立 正 行 司 法 行 改 主 補
主 改 分 分 三 正 法 改 三 改 法 分 権 立 法 主 修 有 分 司
法 行 補 分 有 三 修 改 行 立 者 権 法 補 者 改 者 政 者 司
改 主 司 権 行 政 三 政 法 政 立 法 行 権 司 棄 行 司 修 補
主 主 者 行 修 補 有 者 行 有 法 法 権 立 法 立 法 分 権 分
分 行 改 有 有 行 三 権 分 立 修 改 修 司 三 法 有 修 分 権
補 補 三 者 分 分 行 改 分 権 司 改 司 立 権 補 司 者 有 分
権 司 行 政 権 法 三 政 司 法 立 権 分 改 司 司 改 改 主 行
法 修 法 修 補 法 棄 立 行 司 司 主 法 主 者 立 法 者 主 三
三 三 有 三 棄 主 政 棄 行 権 有 法 正 三 法 修 補 正 有 法

政治 Politics 3番目

政 会 資 長 席 参 政 参 政 務 治 金 会 衆 政 院 立 議 国 衆
長 院 行 長 治 法 行 法 長 立 員 員 法 法 金 席 立 院 行 長
会 参 員 金 治 長 会 国 資 衆 参 員 務 議 治 長 員 務 院 院
政 立 憲 席 衆 資 立 金 金 議 治 法 院 院 法 員 院 法 衆 政
衆 長 席 務 院 資 院 金 院 立 政 院 法 院 政 衆 務 金 参 治
員 席 金 員 員 行 資 治 議 憲 資 参 議 参 参 会 席 員 法 資
立 治 務 金 立 席 資 国 資 務 会 衆 憲 議 務 席 憲 資 長 金
長 務 員 政 憲 金 長 金 席 立 務 金 治 参 立 資 席 憲 政 政
憲 長 治 資 会 立 憲 衆 議 資 憲 員 会 長 治 院 治 衆 会 金
参 院 席 資 員 院 政 国 衆 国 国 参 衆 法 席 長 席 政 長 憲
院 院 席 行 議 務 参 員 政 議 衆 席 参 政 参 衆 法 憲 憲 資
議 行 法 法 法 行 院 金 院 資 行 会 政 立 法 議 行 国 院 立
資 法 会 員 資 金 会 憲 議 治 議 資 政 院 金 議 憲 行 資 院
議 院 行 法 国 金 参 政 憲 金 法 治 会 政 憲 金 参 院 法 参
立 参 資 治 政 務 会 員 務 長 議 院 治 立 参 長 務 法 資 務

政治 Politics 4番目

組 議 臣 閣 臣 組 臣 開 内 休 臣 僚 大 程 相 法 休 大 開 議
臣 内 案 相 程 閉 僚 上 上 首 臣 組 内 法 大 程 閉 内 首 首
首 案 僚 内 内 僚 閉 上 僚 臣 休 相 相 内 内 議 休 議 会 首
閣 閉 開 上 閉 内 議 開 休 休 組 臣 程 休 組 僚 僚 首 議 組
首 案 首 案 上 相 内 程 法 議 閉 開 案 程 首 会 僚 開 休 休
案 組 組 閣 大 法 法 僚 相 臣 僚 首 会 臣 臣 上 上 開 臣 臣
内 法 会 程 相 会 大 相 臣 相 開 組 臣 案 組 案 組 上 臣 案
法 閉 法 閣 閣 上 会 相 臣 上 相 案 会 程 案 相 内 臣 相 開
開 閉 閉 開 相 僚 法 上 案 案 上 閣 会 閣 臣 開 臣 僚 休 閣
僚 僚 臣 開 僚 相 大 相 会 首 閉 大 首 案 相 相 内 組 程 大
開 内 開 案 案 閉 内 議 程 程 案 開 内 会 閣 相 内 大 首 休
大 開 程 閉 相 大 大 相 閣 臣 程 閣 法 大 案 開 閉 首 僚 案
臣 案 程 僚 上 組 僚 会 上 閣 会 首 閣 会 案 閣 上 相 組 首
開 組 案 会 休 内 案 大 相 法 程 会 会 閣 大 程 閉 大 上 会
首 閉 案 相 程 組 会 程 法 会 組 大 閣 相 開 議 開 内 上 組

政治 Politics 5番目

約 挙 協 採 政 政 候 当 選 選 公 開 採 約 政 選 政 補 否 公
否 政 候 候 政 成 政 約 協 成 採 政 補 当 補 政 賛 否 局 成
否 落 賛 挙 公 選 補 挙 協 補 票 公 策 採 約 選 公 決 定 落
票 定 政 協 票 公 採 決 開 票 賛 成 投 局 選 候 成 投 開 開
候 政 否 補 選 否 補 策 選 賛 定 決 策 公 投 落 票 補 開 策
選 策 選 投 賛 策 選 決 投 政 定 協 策 政 賛 落 局 当 補 投
賛 決 補 政 採 票 補 開 約 採 政 協 決 開 候 否 票 否 策 定
票 補 票 策 賛 補 約 策 策 候 落 落 開 協 挙 定 選 選 挙 否
票 否 公 候 当 決 挙 政 賛 決 落 局 挙 公 賛 投 策 公 採 票
策 策 局 策 候 成 候 候 落 決 定 挙 投 候 協 挙 採 否 選 賛
票 定 協 成 政 候 投 協 協 局 当 挙 公 落 約 挙 政 成 公 約
採 局 策 補 策 選 成 投 賛 候 約 当 局 開 成 決 定 公 定 選
定 政 定 投 選 否 約 政 否 補 局 当 定 定 協 選 決 投 否 選
政 投 決 策 賛 投 政 政 政 約 補 補 当 票 否 賛 定 約 成 候
定 策 定 局 候 公 投 否 約 採 当 約 決 定 協 否 採 定 投 採

政治 Politics 6番目

市 僚 事 庁 役 役 民 次 民 庁 僚 事 所 庁 庁 知 次 民 民 次
区 次 長 庁 区 官 役 長 所 長 庁 僚 市 長 庁 市 僚 事 区 事
庁 事 庁 庁 役 区 知 県 民 所 知 区 庁 知 知 役 事 県 区 次
事 所 所 役 区 県 官 役 区 次 庁 市 市 次 県 県 事 県 市 市
民 官 事 県 県 事 区 市 僚 民 僚 市 役 所 僚 次 県 役 役 庁
知 所 区 区 官 役 次 庁 知 役 県 県 知 区 民 民 僚 僚 次 区
市 官 所 県 知 次 僚 役 民 僚 民 知 県 区 官 所 事 次 事 所
区 官 区 県 区 長 長 民 民 県 区 僚 市 区 所 民 民 民 市 市
民 官 県 官 知 庁 所 長 事 県 役 知 県 県 官 知 役 区 僚 役
長 知 市 知 所 所 長 県 県 事 民 官 市 県 民 県 区 区 事 市
役 次 市 市 官 民 事 県 事 僚 県 僚 役 区 次 役 事 次 役 市
県 庁 僚 知 知 県 次 僚 知 所 市 知 市 区 民 庁 事 市 庁 僚
役 事 区 知 次 知 所 区 県 所 市 官 所 知 官 所 僚 事 市 区
官 役 官 役 庁 区 官 官 役 官 県 事 区 県 所 民 区 市 市 僚
民 役 役 事 次 知 県 民 知 官 県 所 県 民 知 県 役 次 役 次

解答 Solutions

政治 Politics 7番目

答	法	勧	説	答	有	有	政	告	地	応	就	質	会	規	政	自	勧	盤	任
法	政	治	連	政	地	地	告	政	国	地	質	法	地	盤	答	連	就	連	有
邦	就	盤	自	勧	規	告	期	勧	政	政	説	法	期	答	演	演	法	演	政
演	政	規	任	演	法	任	地	疑	期	盤	法	説	政	任	令	会	告	質	答
有	盤	期	告	答	辞	令	疑	邦	政	告	演	疑	応	邦	法	邦	応	応	会
自	期	就	告	法	説	治	期	質	国	会	国	応	有	辞	邦	治	疑	法	国
国	任	地	邦	疑	期	疑	説	治	答	勧	規	就	説	国	地	質	応	辞	連
告	法	治	任	会	質	邦	法	法	任	自	応	告	政	法	法	有	質	辞	辞
連	応	期	質	説	説	会	辞	勧	質	政	政	政	答	有	令	質	規	勧	勧
邦	演	就	勧	規	政	政	会	有	政	国	辞	就	政	治	期	治	答	疑	邦
会	法	法	令	疑	疑	答	任	会	地	答	答	国	地	連	盤	邦	辞	勧	応
辞	盤	有	地	質	演	規	会	有	治	告	演	就	告	令	辞	有	応	会	勧
盤	応	連	連	国	国	会	邦	地	辞	法	告	応	有	期	勧	応	就	政	邦
答	就	国	期	連	政	辞	就	国	自	邦	就	疑	任	自	有	勧	疑	国	勧
有	法	答	就	法	令	盤	盤	就	政	演	告	令	会	自	勧	連	期	期	説

政治 Politics 8番目

封	義	専	裁	独	独	建	建	産	和	保	専	派	社	和	大	派	権	統	裁
領	派	度	社	共	建	義	専	政	派	裁	権	統	権	独	義	社	建	共	会
和	封	反	保	政	制	治	制	封	専	民	流	度	専	反	守	和	裁	派	保
大	義	権	度	建	独	度	治	流	領	派	共	裁	度	権	民	社	治	封	治
民	主	裁	産	義	制	統	専	会	和	守	流	度	制	守	政	制	共	流	保
建	主	権	主	建	専	専	反	大	制	裁	派	主	義	主	守	治	大	度	建
派	民	産	封	権	治	会	独	独	度	独	主	制	派	政	君	政	民	統	和
会	共	守	君	君	封	治	治	裁	政	派	社	和	和	政	産	君	保	共	権
治	独	派	派	産	保	権	政	統	政	主	統	守	和	義	大	領	和	反	大
政	反	守	派	流	領	封	制	民	度	権	権	制	権	領	主	制	制	専	流
制	流	専	独	統	主	社	専	専	君	建	流	政	会	専	専	会	政	社	独
会	権	政	大	守	主	反	流	権	大	裁	封	保	反	専	社	建	社	主	義
主	封	産	会	民	保	専	封	領	領	専	封	裁	和	流	民	共	義	専	領
主	義	義	度	民	治	君	義	社	政	産	産	政	建	派	度	権	独	会	領
度	独	制	建	社	会	保	度	派	民	守	守	義	義	共	政	度	統	治	君

政治 Politics 9番目

党	最	言	候	議	等	高	反	援	判	応	宣	立	立	等	言	反	名	演	判
判	演	応	陳	最	名	宣	宣	陳	更	欠	最	議	最	違	最	援	反	裁	反
等	判	援	補	名	裁	裁	欠	演	党	演	決	立	欠	所	議	補	演	演	説
演	最	高	裁	判	所	欠	立	違	党	言	欠	言	所	援	党	高	立	党	宣
高	言	応	立	指	裁	議	判	指	高	裁	等	宣	裁	最	陳	判	裁	補	説
違	援	党	応	応	説	迭	演	等	応	欠	陳	主	名	所	説	高	応	所	高
最	応	候	主	欠	説	迭	演	演	応	反	更	決	更	主	陳	違	判	演	所
援	情	候	応	援	演	説	応	高	高	議	党	援	迭	補	名	演	等	迭	迭
迭	裁	宣	所	補	迭	補	更	高	立	等	宣	欠	最	等	立	欠	最	主	補
情	宣	違	違	欠	反	決	候	候	更	指	迭	説	党	援	判	決	候	迭	判
候	等	判	情	党	立	主	陳	言	説	決	迭	高	等	裁	判	所	情	決	立
援	迭	判	名	欠	等	候	主	更	更	援	情	議	候	応	立	欠	党	補	裁
指	援	議	迭	演	最	宣	補	応	主	指	陳	裁	陳	補	指	高	迭	説	裁
党	陳	候	名	党	迭	裁	応	立	等	欠	判	所	指	違	名	補	陳	言	候
立	応	演	迭	反	欠	演	最	陳	候	等	違	候	反	最	最	補	迭	迭	議

政治 Politics 10番目

設	建	商	建	法	建	蔵	治	働	大	法	運	政	働	法	産	林	輸	労	産
林	外	設	法	労	設	商	厚	部	通	働	大	商	業	建	生	法	働	生	厚
建	生	農	農	産	労	林	郵	蔵	務	治	通	政	治	農	輸	設	外	水	商
生	務	産	部	輸	運	商	建	輸	郵	生	通	働	水	運	厚	外	通	外	建
業	大	治	林	厚	建	政	自	部	法	商	運	業	農	外	運	設	郵	大	外
労	水	省	務	大	自	自	業	省	通	部	通	政	自	厚	水	文	外	蔵	輸
生	林	大	設	労	輸	蔵	厚	通	務	文	文	省	省	産	水	林	農	省	生
農	水	文	文	建	郵	通	商	産	業	省	務	労	政	商	輸	生	水	省	生
通	自	省	省	蔵	治	政	郵	設	建	法	働	法	働	政	運	大	生	農	建
治	生	商	蔵	外	厚	農	省	厚	商	自	労	設	蔵	省	通	輸	通	大	産
厚	政	業	輸	運	外	務	省	農	業	法	労	労	商	蔵	業	水	省	郵	郵
外	省	商	農	林	輸	厚	水	大	労	大	政	建	建	治	商	外	建	建	業
法	商	文	通	務	建	務	大	労	厚	建	林	商	水	政	蔵	自	務	法	業
自	輸	水	治	商	水	治	業	治	業	生	文	自	文	部	省	輸	治	運	省
通	運	輸	自	商	治	業	厚	業	政	外	産	水	建	厚	輸	農	部	省	部

政治 Politics 11番目

共	産	自	所	さ	共	員	会	議	党	革	本	共	由	所	由	本	自	国	自
進	が	所	党	主	本	革	民	進	所	代	自	民	党	主	自	新	議	無	国
き	自	き	共	議	共	議	本	け	新	本	無	所	属	が	革	社	議	議	主
き	士	自	け	け	主	議	主	が	進	進	産	自	き	属	代	員	議	会	国
自	会	主	日	新	さ	無	け	き	民	民	士	会	共	属	党	革	無	所	が
自	本	党	共	由	本	会	国	さ	け	さ	本	由	さ	新	共	進	属	さ	属
属	き	員	士	主	け	党	本	党	き	会	共	党	新	所	け	由	新	員	国
産	社	さ	産	民	所	員	所	新	け	進	け	社	産	進	自	き	が	新	民
無	新	国	属	民	社	け	由	由	本	国	士	党	所	主	国	自	党	社	属
本	所	所	革	党	主	民	由	自	員	き	由	進	議	本	自	産	き	社	所
士	産	産	会	代	産	革	日	由	国	き	新	が	が	日	社	産	民	会	国
由	け	士	進	代	さ	議	産	日	革	士	本	新	さ	本	属	党	員	け	き
党	主	民	さ	産	産	代	共	党	き	会	が	無	産	共	新	員	進	本	議
士	議	代	無	本	所	由	革	属	国	自	由	由	革	産	き	産	党	国	党
が	主	革	国	主	新	社	社	会	民	主	党	国	産	党	社	日	さ	日	会

外交 Diplomacy 1番目

渉	係	国	協	条	際	親	同	係	国	同	流	諸	交	条	親	渉	関	渉	係
係	外	外	盟	交	諸	流	係	協	諸	流	両	渉	定	条	関	約	同	国	流
係	盟	諸	親	定	際	外	係	際	約	定	約	係	定	親	協	係	国	流	国
交	盟	外	流	際	関	約	関	流	親	係	同	親	国	条	渉	両	渉	盟	善
係	親	関	流	同	際	係	盟	定	渉	親	交	定	際	流	流	約	渉	関	流
善	同	関	関	両	渉	盟	関	関	条	関	約	流	係	外	盟	関	善	協	諸
定	約	外	両	約	渉	渉	際	際	親	定	流	係	外	両	協	交	両	善	渉
条	善	係	同	渉	同	外	定	定	国	盟	係	両	条	協	親	際	交	定	国
盟	盟	約	定	善	渉	約	交	関	渉	約	外	関	外	条	両	関	両	親	約
流	諸	交	両	外	諸	善	約	定	関	盟	係	同	渉	同	両	係	際	同	関
約	諸	協	同	流	定	盟	定	渉	渉	係	定	渉	渉	渉	係	条	際	同	国
盟	盟	交	協	関	際	際	係	関	約	盟	渉	善	渉	定	善	善	両	盟	定
定	盟	両	関	際	両	流	際	諸	係	定	国	約	関	外	協	諸	約	諸	係
両	親	親	協	係	流	約	渉	同	関	親	係	同	約	関	約	交	約	交	係
流	外	条	国	流	際	盟	協	両	協	条	諸	親	外	約	両	善	約	国	親

解答 Solutions

外交 Diplomacy 2番目

好	賓	表	盟	代	連	加	表	衛	衛	好	友	友	好	友	印	流	好	賓	折
首	交	脳	脳	印	印	力	印	妥	力	協	首	印	交	外	交	折	衛	外	外
交	調	際	印	国	好	印	交	友	好	衛	首	衛	好	盟	脳	協	合	交	合
国	連	協	交	印	流	好	衛	友	盟	印	連	表	賓	調	脳	力	国	力	力
盟	代	首	賓	交	表	表	表	印	連	調	協	力	際	交	賓	衛	印	妥	折
合	表	加	友	表	妥	首	協	力	交	加	連	調	賓	加	表	交	国	流	好
合	衛	協	力	折	連	流	際	国	際	調	妥	首	調	流	印	脳	際	交	加
国	首	賓	妥	代	盟	力	国	際	妥	脳	表	衛	妥	好	交	際	際	流	妥
調	折	交	際	妥	力	国	流	好	連	力	流	外	友	流	力	表	流	印	首
協	合	流	友	衛	折	首	外	国	友	加	加	協	表	妥	合	折	妥	盟	国
代	衛	際	連	印	友	協	国	妥	衛	首	衛	協	外	友	調	首	表	際	妥
際	外	好	印	表	際	脳	交	代	衛	連	国	外	友	衛	脳	加	協	折	友
表	妥	力	好	盟	協	賓	好	力	国	友	賓	連	合	代	脳	力	協	友	協
印	賓	首	首	外	盟	外	外	調	加	協	際	調	調	際	盟	加	外	流	首
妥	外	協	交	表	好	国	調	友	力	交	首	力	国	好	表	流	交	際	国

外交 Diplomacy 3番目

緊	権	立	債	紛	張	諸	査	援	州	欧	査	国	連	合	張	緊	西	東	側
債	州	境	欧	東	側	東	緊	争	国	権	西	外	紛	権	欧	務	張	証	欧
争	難	欧	査	海	争	査	立	助	外	民	援	民	務	国	債	務	張	連	紛
諸	務	難	債	中	紛	張	国	国	権	債	東	難	側	立	務	債	紛	民	中
連	権	外	紛	務	州	合	援	権	国	務	側	立	外	援	務	債	民	民	欧
国	中	諸	権	証	連	務	連	州	助	緊	中	欧	証	務	緊	海	側	側	外
助	緊	証	欧	合	外	紛	合	州	張	査	争	海	緊	東	外	海	境	民	援
援	難	緊	外	難	援	争	証	外	欧	債	争	債	張	張	証	欧	側	西	中
側	張	西	東	証	緊	務	民	権	東	西	境	債	境	連	緊	西	連	側	東
争	緊	境	紛	欧	海	紛	債	張	国	援	州	債	務	外	証	東	争	諸	証
立	民	外	債	証	連	州	諸	諸	証	側	争	諸	助	援	外	海	査	国	張
債	境	務	紛	援	権	査	連	査	西	西	民	外	務	紛	欧	連	国	難	証
諸	側	張	外	国	合	権	州	争	緊	民	張	国	境	紛	争	欧	西	援	緊
助	張	境	民	境	張	東	合	援	援	証	民	東	立	争	側	争	張	中	側
紛	張	張	連	債	連	権	外	証	連	中	緊	査	援	権	東	助	証	証	助

外交 Diplomacy 4番目

問	締	放	界	戦	結	渉	償	裁	賠	干	結	制	密	賠	不	追	締	報	裁
国	北	障	償	権	追	大	問	戦	干	機	全	大	渉	法	全	大	賠	干	入
情	締	題	制	保	国	戦	締	国	北	締	国	放	入	国	拒	権	賠	障	世
権	否	権	渉	権	大	内	密	題	南	置	保	国	界	制	裁	国	拒	内	国
界	情	追	障	法	法	権	権	大	追	報	北	保	報	安	賠	結	報	政	報
償	賠	措	報	報	否	報	問	国	全	安	界	否	国	安	締	問	不	大	権
報	政	渉	干	政	内	問	制	拒	結	追	情	南	置	干	制	情	裁	報	安
否	南	問	全	拒	否	措	裁	裁	賠	報	賠	放	不	大	情	追	干	密	裁
報	情	密	機	措	機	密	措	障	権	入	政	拒	安	制	置	情	報	置	安
締	措	不	全	界	北	大	置	南	報	安	題	干	情	安	拒	結	世	全	締
南	問	南	措	戦	保	戦	措	安	界	戦	追	権	否	拒	全	全	保	法	界
北	償	拒	措	大	措	政	大	報	拒	償	世	干	賠	戦	措	障	戦	法	裁
問	制	裁	問	界	否	追	放	障	南	情	大	追	置	法	政	措	問	渉	権
題	否	内	報	世	措	情	題	北	全	世	入	界	法	渉	機	題	機	問	問
渉	障	全	密	報	北	安	大	追	国	渉	界	密	制	措	置	機	置	界	密

外交 Diplomacy 5番目

共	新	和	関	通	官	問	平	和	外	商	談	発	問	脳	大	関	好	交	平
事	商	同	外	問	事	同	大	通	交	表	公	式	官	官	発	会	官	聞	聞
訪	訪	聞	係	通	官	訪	談	式	官	新	関	同	講	表	和	表	官	好	通
問	新	条	問	好	外	新	問	会	表	関	発	約	表	談	首	式	平	使	大
共	外	官	新	公	表	共	関	発	脳	表	式	発	官	事	条	脳	友	訪	友
約	係	共	館	好	大	新	聞	外	約	首	同	公	新	首	会	外	聞	賓	聞
友	共	使	訪	訪	脳	新	和	領	表	共	関	訪	和	共	領	共	大	平	談
談	新	談	表	大	友	平	係	式	約	和	問	首	公	領	平	平	官	和	発
和	平	好	関	講	大	約	交	大	平	友	友	好	関	係	賓	賓	首	条	式
新	交	平	事	首	通	商	賓	外	通	商	条	約	使	会	新	使	和	約	問
外	首	式	友	外	関	使	好	係	係	係	公	訪	式	使	平	問	講	訪	共
聞	係	式	事	館	首	商	好	賓	式	聞	聞	使	好	訪	関	係	式	係	聞
好	条	大	事	講	聞	共	新	外	領	関	館	事	領	新	和	公	係	問	会
訪	会	同	好	問	使	官	賓	公	関	訪	訪	約	同	友	大	事	商	訪	式
和	和	約	同	問	発	式	事	官	官	賓	館	訪	同	通	平	外	平	公	会

外交 Diplomacy 6番目

明	邸	勢	情	際	国	国	同	声	土	世	同	同	同	交	邸	使	土	独	邦
交	世	准	国	邸	邸	領	声	独	独	同	邦	理	国	代	際	大	回	互	独
交	批	際	准	復	明	復	共	政	府	互	回	土	大	復	連	理	交	土	声
土	復	使	大	土	准	互	邦	使	国	復	独	互	理	邦	領	代	理	立	互
恵	代	三	代	連	准	互	共	使	際	連	声	政	政	邦	大	明	情	邦	公
大	回	三	理	同	恵	情	明	同	邸	交	邸	府	情	明	理	界	独	領	代
邦	世	復	使	交	同	際	大	政	共	復	同	国	領	回	世	政	邦	回	府
復	勢	独	理	復	代	回	界	際	同	明	政	勢	邸	三	大	三	批	復	土
交	明	准	政	府	連	恵	独	回	声	声	邦	公	第	際	府	明	使	情	政
大	邦	立	声	世	大	大	土	勢	明	領	国	勢	復	明	独	情	三	独	邸
共	批	界	復	回	交	国	界	土	土	勢	立	恵	領	立	恵	批	政	第	交
領	互	明	同	交	理	国	公	共	互	第	独	連	復	復	界	三	恵	情	大
領	批	互	大	世	邦	代	大	邦	情	領	国	連	回	第	国	界	際	復	界
連	互	使	邸	交	立	領	立	同	公	勢	理	府	交	立	際	代	同	声	代
第	公	復	府	三	第	三	互	連	国	立	勢	領	声	明	際	使	政	復	互

軍事 Military 1番目

空	紛	御	海	略	争	軍	御	衛	陸	車	衛	衛	作	車	空	御	内	空	争
紛	御	戦	空	作	衛	内	軍	戦	御	内	紛	空	事	内	御	紛	略	陸	争
陸	海	作	海	作	事	紛	紛	戦	衛	軍	海	衛	略	内	作	内	作	防	争
海	争	衛	衛	御	車	作	空	紛	軍	略	争	作	内	紛	内	紛	車	事	陸
事	海	略	陸	事	略	軍	内	衛	御	作	御	略	作	略	空	空	事	車	防
事	事	防	争	防	略	作	御	事	衛	内	空	車	軍	内	陸	戦	御	車	海
衛	紛	陸	空	防	軍	陸	紛	空	陸	衛	作	紛	衛	争	略	衛	軍	衛	事
内	事	内	防	戦	争	略	衛	作	事	海	海	車	陸	車	車	事	略	略	車
内	防	海	海	空	防	軍	紛	車	車	内	海	防	防	事	海	争	海	略	内
軍	紛	車	作	紛	戦	軍	略	紛	海	争	防	車	紛	内	事	紛	御	紛	紛
略	紛	内	作	陸	御	車	衛	略	空	陸	御	車	紛	陸	車	空	紛	戦	陸
海	事	事	陸	御	衛	軍	車	作	争	略	海	略	車	紛	事	陸	衛	内	防
事	略	防	作	御	争	軍	内	御	内	御	略	防	紛	空	衛	海	紛	車	海
内	海	作	空	車	軍	略	作	車	海	空	陸	紛	陸	海	戦	衛	内	陸	内
車	陸	車	事	防	軍	軍	内	衛	御	争	御	紛	車	防	衛	事	衛	車	空

解答 Solutions

軍事 Military 2番目

墜	兵	兵	軍	隊	撃	弾	校	爆	墜	備	将	兵	備	爆	将	爆	隊	徴	軍
配	校	兵	撃	弾	軍	配	兵	備	校	備	墜	攻	攻	徴	墜	弾	備	発	配
隊	校	墜	弾	校	配	撃	将	兵	爆	役	軍	墜	弾	隊	攻	墜	将	役	攻
攻	軍	徴	隊	将	徴	徴	発	墜	軍	攻	配	隊	発	弾	将	備	攻	爆	備
攻	校	校	墜	徴	撃	撃	軍	墜	弾	発	隊	徴	撃	配	将	発	墜	墜	兵
役	墜	校	攻	徴	隊	発	配	墜	備	撃	役	役	撃	弾	配	発	軍	弾	兵
攻	軍	配	攻	墜	配	弾	兵	墜	弾	配	発	隊	攻	発	将	弾	墜	校	撃
弾	役	攻	攻	配	弾	役	軍	兵	発	墜	役	徴	墜	兵	墜	発	軍	弾	備
徴	徴	爆	軍	隊	軍	校	校	墜	隊	攻	校	墜	将	墜	軍	配	軍	役	発
隊	配	爆	役	発	撃	隊	備	校	弾	校	発	備	爆	墜	爆	校	軍	配	軍
軍	配	校	備	備	徴	隊	発	校	撃	校	徴	墜	役	隊	発	兵	爆	役	発
兵	撃	兵	備	将	徴	備	校	弾	隊	撃	隊	弾	軍	攻	発	撃	備	備	役
校	備	校	爆	役	爆	役	撃	配	発	校	発	弾	将	徴	隊	撃	将	攻	発
徴	備	校	校	役	攻	将	発	兵	軍	配	兵	攻	役	攻	隊	配	発	兵	発
役	隊	備	備	爆	配	兵	撃	徴	爆	兵	爆	備	役	軍	弾	将	配	将	攻

軍事 Military 3番目

闘	航	軍	略	洋	航	練	益	機	練	巡	益	空	休	巡	洋	艦	空	休	航
潜	練	機	休	器	兵	航	益	母	空	巡	休	軍	機	兵	兵	巡	巡	器	休
訓	洋	闘	益	防	訓	潜	核	闘	戦	防	水	艦	闘	略	兵	艦	母	軍	休
潜	防	益	休	水	母	航	略	軍	闘	巡	艦	闘	機	母	訓	防	母	兵	潜
核	略	水	闘	艦	空	兵	訓	巡	機	闘	兵	艦	練	空	略	闘	略	略	母
軍	核	潜	益	母	潜	略	機	戦	機	練	母	水	核	潜	機	国	機	機	航
器	休	核	艦	訓	艦	空	空	潜	洋	戦	益	闘	兵	休	機	航	潜	洋	潜
益	略	航	休	国	水	略	戦	巡	核	母	訓	母	器	略	休	略	略	巡	略
機	核	器	水	巡	潜	艦	機	略	巡	艦	休	益	略	艦	練	戦	益	空	軍
練	器	巡	母	略	国	母	洋	核	航	水	航	艦	核	水	空	器	軍	戦	防
水	防	機	航	国	艦	戦	航	機	核	艦	核	母	核	巡	軍	水	航	略	機
器	器	戦	兵	休	空	巡	軍	防	巡	防	水	略	巡	略	軍	水	軍	兵	巡
器	核	艦	巡	母	水	闘	水	器	防	軍	巡	練	器	休	闘	水	巡	器	母
防	休	国	核	休	航	闘	核	機	練	器	潜	母	水	略	休	軍	空	器	休
艦	国	水	益	機	航	空	休	休	洋	水	軍	略	闘	航	兵	軍	空	機	艦

軍事 Military 4番目

縮	核	大	核	縮	拡	占	行	行	地	軍	領	大	行	争	部	使	紛	紛	犯
核	使	行	武	武	占	侵	部	小	備	行	占	備	空	力	使	紛	犯	小	空
紛	拡	戦	力	地	海	海	空	武	占	争	侵	備	海	力	侵	域	域	拡	占
空	空	争	行	軍	軍	争	核	使	拡	縮	地	縮	拡	海	空	力	軍	空	海
犯	海	装	使	部	力	犯	侵	部	戦	大	行	空	戦	空	争	部	地	核	武
使	地	武	紛	部	大	域	空	拡	軍	空	備	武	武	隊	核	域	戦	域	核
域	隊	争	縮	拡	紛	戦	行	戦	争	拡	軍	備	争	空	紛	争	侵	軍	地
海	装	力	領	行	域	使	紛	戦	空	戦	備	占	域	争	戦	行	領	侵	空
域	縮	軍	小	部	核	備	紛	占	備	紛	拡	大	地	装	備	部	行	装	縮
装	領	軍	備	空	使	空	占	軍	紛	拡	大	領	拡	軍	装	隊	拡	大	地
縮	拡	紛	核	縮	備	戦	使	域	縮	核	紛	空	軍	地	争	争	地	縮	使
侵	核	縮	小	行	小	核	域	隊	領	地	縮	戦	核	軍	隊	占	大	地	戦
備	海	武	戦	装	小	縮	装	域	犯	核	装	争	核	争	占	戦	戦	力	占
大	縮	行	小	使	占	戦	侵	使	行	軍	縮	領	力	域	行	海	侵	力	占
拡	争	大	地	小	備	地	地	備	地	占	域	海	武	縮	備	隊	侵	部	部

軍事 Military 5番目

生	核	散	地	化	戦	張	水	核	侵	縮	償	散	拡	原	学	侵	物	化	捕
基	基	封	虜	償	学	縮	拡	物	緊	争	抑	止	力	償	基	散	軍	軍	争
張	核	物	基	張	生	力	捕	拡	捕	核	軍	抑	軍	軍	基	償	縮	軍	核
地	散	侵	封	張	化	学	兵	器	化	拡	拡	張	核	力	兵	散	生	生	鎖
核	賠	虜	地	水	償	器	止	兵	鎖	散	兵	生	虜	封	原	生	物	力	散
捕	爆	散	地	抑	地	鎖	抑	基	基	原	戦	基	止	水	虜	賠	兵	核	器
器	賠	鎖	学	虜	止	戦	侵	抑	鎖	封	捕	争	生	物	虜	物	器	争	虜
軍	戦	緊	争	水	地	地	生	償	拡	張	緊	水	賠	核	縮	物	地	基	戦
償	核	拡	捕	争	軍	賠	生	水	略	化	縮	略	拡	償	虜	虜	侵	原	捕
基	水	核	器	散	核	兵	核	核	償	軍	兵	爆	物	張	償	賠	兵	物	縮
止	戦	償	償	器	張	償	略	侵	侵	生	水	地	散	学	軍	器	戦	爆	地
縮	学	虜	鎖	散	生	封	核	鎖	侵	原	水	縮	鎖	償	緊	償	償	散	水
化	物	拡	捕	化	争	拡	虜	生	器	鎖	化	戦	生	学	爆	略	賠	鎖	軍
張	縮	鎖	捕	器	略	止	争	核	止	拡	縮	張	生	力	争	基	捕	緊	賠
封	地	化	賠	償	戦	原	縮	基	拡	縮	止	軍	兵	鎖	緊	封	略	鎖	抑

正義 Justice 1番目

警	罪	官	察	義	質	義	場	官	質	交	質	罪	罪	正	強	不	犯	番	義
罪	質	義	行	窃	場	官	行	質	強	不	行	警	盗	人	行	不	強	現	場
正	番	察	強	質	官	義	場	交	盗	官	警	正	現	官	現	現	義	窃	罪
義	人	人	察	正	窃	強	強	質	交	行	場	強	場	盗	不	義	犯	強	人
現	窃	現	察	交	官	犯	義	官	場	現	現	察	義	質	現	警	警	人	不
人	不	質	義	官	現	察	強	窃	番	窃	現	場	番	官	強	不	人	警	不
義	交	現	不	現	番	義	犯	窃	質	現	正	警	番	義	場	場	強	交	警
質	盗	質	盗	窃	行	警	番	察	現	盗	警	強	現	犯	盗	番	正	犯	交
官	正	正	官	番	質	正	強	警	行	人	正	人	現	察	場	質	質	察	場
官	犯	番	犯	察	犯	犯	犯	行	現	場	行	番	察	番	犯	交	行	盗	交
犯	場	盗	番	義	場	交	正	番	窃	現	窃	質	窃	不	盗	交	察	質	犯
番	交	盗	行	察	盗	盗	人	窃	場	人	行	場	現	犯	交	正	窃	現	罪
窃	質	警	罪	行	不	交	察	窃	質	行	不	交	不	察	正	現	察	交	義
場	正	交	質	番	質	犯	不	強	質	交	犯	警	義	強	交	正	人	交	交
交	不	場	窃	察	番	義	強	現	犯	現	強	義	場	罪	正	盗	官	罪	不

正義 Justice 2番目

死	跡	目	告	目	死	裁	死	原	者	刑	殺	者	拘	査	害	所	置	判	傷
法	所	法	置	告	者	法	追	撃	者	告	殺	死	害	告	査	判	法	裁	目
捜	殺	目	撃	告	査	所	捜	目	殺	傷	判	巡	捜	査	撃	害	目	傷	置
追	置	巡	刑	告	者	殺	傷	捜	置	法	所	廷	廷	原	殺	目	所	人	人
人	法	殺	裁	追	者	殺	原	跡	被	原	捜	巡	捜	死	傷	原	査	被	死
裁	人	査	殺	追	殺	原	殺	判	傷	追	刑	目	死	跡	追	所	拘	法	害
追	原	者	目	拘	判	害	拘	拘	刑	追	原	所	者	原	刑	所	人	告	置
刑	撃	刑	告	害	判	死	原	告	追	殺	原	裁	巡	撃	廷	廷	裁	巡	所
目	者	害	査	目	殺	原	裁	査	傷	法	撃	査	原	人	巡	置	目	人	法
廷	告	傷	死	廷	被	巡	被	死	跡	刑	裁	所	被	捜	拘	告	刑	死	者
殺	法	査	跡	傷	判	撃	傷	死	告	置	害	被	傷	人	刑	廷	所	法	査
拘	告	刑	傷	法	死	被	原	撃	巡	害	置	捜	人	判	人	捜	裁	置	跡
巡	目	査	人	者	所	人	置	捜	跡	法	裁	被	原	撃	置	人	撃	目	拘
捜	判	告	害	告	法	拘	者	跡	被	拘	跡	拘	害	刑	所	害	目	跡	人
捜	置	死	跡	目	告	所	原	人	傷	目	被	人	原	被	告	刑	法	者	撃

解答 Solutions

正義 Justice 3番目

人 容 誘 容 偵 平 尋 偵 公 人 公 輸 不 問 偵 暴 公 問 容 拐
輸 探 証 暴 暴 疑 暴 公 輸 走 逃 拠 誘 密 証 不 証 平 平 密
人 輸 問 走 不 問 拠 検 疑 輸 拠 視 走 陪 誘 誘 検 公 公 問
不 証 拐 尋 拠 検 走 人 偵 誘 人 力 力 審 走 輸 人 走 平 疑
平 走 暴 公 拐 陪 陪 容 偵 輸 陪 誘 輸 不 尋 陪 拐 偵 公 逃
誘 公 視 探 拐 尋 平 検 不 容 暴 証 証 視 公 暴 不 暴 不 拠
力 陪 逃 拐 疑 証 拠 拠 人 容 輸 検 公 暴 疑 公 偵 輸 逃 疑
人 輸 容 検 公 誘 容 平 密 拐 視 平 輸 誘 審 探 尋 尋 人 問
平 誘 証 証 暴 密 審 暴 証 偵 密 平 密 容 密 探 暴 尋 探 公
不 証 検 不 公 容 人 走 平 偵 走 密 力 誘 人 容 平 尋 不 平
拐 不 疑 暴 輸 誘 尋 輸 視 拐 不 拐 密 力 陪 探 逃 不 力 疑
検 公 拐 拠 陪 公 拠 力 審 容 人 尋 尋 暴 問 疑 審 容 拐 誘
拐 不 拠 拐 密 不 問 検 力 検 人 陪 人 暴 検 公 人 力 走 証
力 平 問 疑 暴 暴 逃 密 尋 拐 陪 不 視 疑 密 容 視 公 走 誘
拐 審 平 平 平 人 陪 拠 容 容 拐 人 尋 偵 公 疑 証 探 力 不

正義 Justice 4番目

所 察 賂 報 判 判 報 釈 紋 恩 未 司 恩 賂 判 恩 殺 恩 器 賄
指 未 未 釈 法 署 賄 遂 赦 務 察 司 保 報 紋 判 紋 挙 署 挙
恩 賄 器 未 釈 賄 保 未 賂 判 司 検 保 遂 刑 殺 遂 察 所 刑
遂 遂 公 報 検 人 所 人 務 賄 報 器 司 検 警 釈 司 公 人 挙
未 賄 人 法 恩 察 法 殺 保 未 赦 賄 署 賂 警 釈 指 器 赦 法
司 所 未 指 法 賂 判 挙 法 公 器 刑 赦 赦 人 法 器 赦 務 法
署 警 釈 人 保 釈 人 署 紋 紋 人 務 殺 殺 司 署 指 挙 人 警
器 遂 署 公 検 遂 務 器 報 警 刑 司 司 司 賂 指 保 検 警 公
未 釈 刑 務 所 保 紋 恩 賂 挙 赦 司 釈 指 挙 察 報 紋 賂 人
司 器 恩 紋 務 人 検 所 公 器 所 未 賂 器 司 務 保 警 遂 公
人 紋 務 刑 器 人 未 遂 警 警 所 赦 検 検 所 器 察 紋 挙 所
賂 法 判 遂 務 紋 賄 赦 指 釈 司 報 未 未 所 署 法 賂 警 人
務 殺 賄 器 司 器 未 器 賂 公 刑 指 恩 釈 恩 未 察 法 赦 所
法 釈 察 挙 察 釈 賄 法 所 遂 司 挙 紋 人 警 紋 遂 刑 公 察
人 署 刑 司 挙 報 法 赦 釈 警 器 釈 務 報 刑 人 検 賄 報 判

正義 Justice 5番目

訴 供 無 供 決 職 供 事 職 汚 判 拘 拘 訟 供 供 証 監 供 汚
言 供 言 決 訟 禁 告 事 無 言 拘 罪 証 証 押 証 事 宣 罪 訟
監 供 留 収 禁 訟 事 事 決 有 訴 押 供 告 訴 決 罪 収 言 押
供 無 供 留 罪 自 証 留 汚 汚 留 言 押 監 事 自 訟 告 訴 拘
供 拘 押 監 留 宣 禁 留 決 供 供 留 有 宣 告 職 罪 拘 罪 押
汚 監 職 言 有 罪 訴 言 罪 判 宣 証 訟 自 無 禁 宣 訴 訴 拘
禁 判 無 告 決 決 監 判 収 判 供 禁 無 決 言 供 拘 判 汚 言
告 告 告 無 押 自 有 有 汚 告 押 宣 事 監 収 告 訴 自 拘 言
汚 有 職 訟 判 無 供 有 訴 証 監 供 供 無 罪 禁 汚 自 自 告
禁 押 事 監 汚 監 訟 宣 職 訟 罪 告 無 押 押 罪 判 宣 収 職
事 禁 訟 自 証 決 監 留 自 押 拘 証 留 決 供 押 供 拘 証 訟
宣 判 拘 自 告 証 自 職 監 収 事 汚 告 収 監 証 禁 宣 宣 宣
無 判 宣 拘 証 判 禁 告 収 言 決 有 訴 収 監 汚 訴 宣 判 罪
有 訟 言 事 訟 職 職 罪 拘 証 無 訴 言 自 監 告 自 罪 押 告
禁 禁 告 無 押 拘 事 証 汚 押 供 訴 自 自 留 拘 証 事 訴 有

正義 Justice 6番目

脅 力 暗 犯 逮 罰 暗 詐 殺 殺 組 金 罪 罪 団 組 代 権 身 犯
収 人 欺 代 犯 組 人 脅 力 没 詐 逮 護 人 欺 罪 没 暴 殺 逮
罪 代 暗 脅 金 組 脅 暴 力 迫 迫 殺 織 人 罪 護 脅 殺 代 欺
護 収 罪 代 逮 犯 弁 代 殺 罰 代 護 金 権 織 権 詐 権 捕 罰
人 捕 力 収 弁 欺 人 暴 殺 殺 罰 代 代 脅 暗 詐 金 犯 犯 収
人 迫 脅 殺 収 暴 罰 罰 組 罰 身 罪 金 罰 弁 織 欺 罪 織 団
罰 暴 団 人 欺 代 罰 権 迫 捕 身 織 力 欺 人 代 護 犯 脅 欺
代 殺 殺 犯 殺 組 迫 捕 身 権 罰 殺 欺 組 織 犯 罪 暗 人 組
罰 逮 護 逮 逮 逮 身 殺 捕 弁 脅 権 身 脅 団 殺 弁 人 人 護
欺 迫 迫 罪 犯 弁 護 人 収 権 金 暗 護 逮 権 欺 織 代 没 捕
身 罰 織 暴 犯 力 暗 迫 金 殺 没 織 力 護 犯 捕 弁 罪 力 金
犯 罰 団 力 暴 犯 捕 弁 逮 没 身 身 犯 罰 力 金 金 弁 組 暗
組 没 収 脅 犯 金 暴 犯 罰 人 暴 人 捕 逮 暗 人 暗 代 犯 代
罰 織 権 脅 犯 収 組 力 代 逮 罪 脅 脅 暴 脅 収 力 織 収 護
織 罰 暗 殺 代 罪 金 人 収 弁 団 欺 暴 金 金 逮 力 迫 権 護

正義 Justice 7番目

警 視 科 審 視 民 民 件 訟 件 口 警 警 口 視 審 警 起 検 訴
糸 科 警 前 麻 部 起 検 訴 訴 起 口 前 視 部 薬 件 口 察 法
法 視 薬 前 事 麻 麻 庁 糸 糸 発 発 件 口 科 部 再 発 部 発
口 庁 発 発 察 訟 件 再 警 法 検 薬 庁 摘 検 審 前 訴 麻 起
起 科 部 察 発 科 民 麻 警 事 庁 薬 起 麻 庁 糸 訟 事 法 科
部 事 法 麻 糸 起 件 口 件 審 法 口 口 部 部 民 警 糸 部 法
訴 訟 事 件 前 事 視 訟 発 発 前 件 起 事 麻 口 訴 警 審 民
件 庁 科 庁 口 民 視 前 事 法 事 訟 警 視 庁 庁 麻 事 視 糸
法 口 起 検 科 警 察 民 薬 薬 法 視 察 視 警 検 麻 審 件 部
訟 薬 再 検 糸 察 件 摘 件 発 口 警 前 糸 摘 訴 科 薬 訴 訟
再 起 件 訟 起 庁 科 麻 糸 法 警 発 視 審 察 審 審 視 発 再
民 前 庁 起 警 薬 法 警 口 法 起 前 警 科 薬 前 視 検 庁 糸
発 審 民 麻 法 件 法 訴 口 科 麻 民 警 糸 件 摘 警 件 審 検
薬 庁 起 訟 訴 前 審 麻 事 審 事 科 訟 麻 事 薬 科 発 麻 発
起 口 件 薬 民 麻 民 審 審 部 摘 発 発 麻 庁 再 察 視 発 訴

健康 Health 1番目

重 院 身 院 者 長 入 健 体 液 長 入 液 血 体 康 体 医 健 型
康 患 看 康 護 長 医 圧 者 圧 康 長 者 身 型 血 液 型 型 健
医 患 入 者 長 長 者 康 液 入 入 康 康 型 院 護 長 看 体 者
入 体 患 長 看 長 入 者 型 退 病 液 退 型 身 液 型 患 体 血
長 退 体 入 患 康 入 型 入 康 康 者 看 圧 退 圧 重 看 血 院
重 身 入 入 看 医 圧 液 退 体 圧 病 型 血 者 長 退 病 患 健
身 病 液 康 重 入 長 型 看 看 圧 護 入 康 看 重 医 液 身 重
血 看 院 医 圧 病 型 院 康 圧 退 重 血 長 院 康 看 健 身 入
血 身 血 医 護 身 退 者 看 病 長 護 健 血 者 身 患 健 退 液
医 健 退 長 体 身 護 康 者 体 患 入 護 者 入 護 入 型 病 体
医 重 重 護 型 液 液 者 型 体 液 型 者 血 康 退 液 患 看 型
入 長 病 入 院 圧 型 重 液 院 長 健 病 者 康 身 液 長 長 康
看 病 型 長 体 長 看 型 重 体 圧 退 長 圧 護 者 護 病 型 康
者 入 型 者 病 体 健 血 者 長 圧 長 病 病 健 型 康 護 看 血
健 病 身 身 体 液 長 康 看 退 液 長 血 患 身 液 長 入 身 病

解答 Solutions

健康 Health 2番目

科看専医血血診血科院外風術専療院護病察風
邪方合血医院科断医婦婦家察風外婦看院外療
門出医病門庭門血護処専血断婦処護合方療風
療術家総合外家門血護門察院庭婦外院手血血
婦婦専邪婦病医邪家婦病風庭合手婦手護方合
院出方邪科科手血院看院院看庭術総門科家診
断庭術出合総総合護方合病診看外風家療外庭
察科庭医合医院護科総看邪病処看血病専合術
門婦察病処方庭血庭院病護婦合術察診合出外
出家婦出門家断庭家合処風護術出庭処手婦手
断出診療手医処処病病総総護療方総診合院方
邪婦院邪看合血出邪処婦合医合門庭総手風断
婦邪血療庭察処門護診護病病庭家出看科総庭
病療科家血外専風外邪護院断血邪護邪専家療
院婦庭家邪邪手血術婦合出門院病処看風方血

健康 Health 3番目

注疫帯流車献注車低免急射死献疫帯血射感作
帯副射医体車車高死作用医流車副高救療療体
療作作免感帯医死免注死輸作救作車用免献死
高用低車輸用流包注作流献帯副流包救免献注
高疫献救救死注低救低注注包医作副免医感輸
作流包死作感注注流注死急流血注死死作急射
流輸救低救死副圧医圧療疫用免包高作医高包
医医救帯圧用感副圧感療副低圧疫療車車救感
帯急急用免流圧死救車死輸免血高副死医射急
車注献副用療疫血射療死射作作作副疫包献死
射体副帯急感副急高圧射作献高輸感車高低作
作車体療注包用副死高死疫感圧包用免感医輸
献帯献用血輸医救死射副用体血死作免高死死
車作感副射帯副療免医医用血低高血作低救療
死献圧圧用圧療死副死車死免包疫包献医帯輸

健康 Health 4番目

秘頭臓胃肺心肝症痢症色毒管痛症胃便心管管
痛症色痛秘血痛秘痢毒管秘秘症管中頭症毒肺
痛肺便臓色肺肺胃肝痢秘管色管肺心腎下秘中
肺胃状中頭毒毒肺胃肝肝胃状腎中状管肺中頭
顔顔秘状痢便状状便腸毒状痢顔頭腎秘痛心痢
血心毒痢胃痢心心血痛症腎腎中秘毒顔下下管
痛秘頭便色胃痛下状血顔色腸痢血血状中腸心
肝状毒頭状下肺腸状血心中臓痢状顔痢肝血肺
胃痢顔秘腸腸便頭肝秘肝管痛顔肝便中色血肝
心臓痢肝状痛顔症顔痛心症腸腎症便痛秘胃肝
胃色血状臓便肝肝心秘腎管痛臓毒便症毒管血
状秘肺頭状腸心血心便腎肝秘色痢管毒肺状腸
下痛管状肺色下顔胃心中中心管頭状便状腸肺
痛肺胃中管症臓肺痢痛便顔肺便毒心頭頭痢管
秘下腎状腎頭中胃秘痢毒肝毒毒頭痢胃臓便腸

健康 Health 5番目

麻体温外平食不寿膚整安形行形良寿行健銀疲
液安消安品膚平行健命良楽楽伝不品膚安整健
死伝楽消老楽食命科科体消死命不遺液銀整消
老良遺寿寿化康寿酔膚遺均伝麻銀膚膚形銀良
行遺楽膚康皮康均消温消消科康酔安温液疲労
楽銀良良形麻命平寿銀健労麻伝伝良温疲不膚
健外液麻安遺寿安行命血遺康伝液科血品健楽
労遺外血化食遺品酔品労体疲液麻遺康康銀安
寿液膚労康寿皮食液外命科遺麻麻消化不良液
科膚化体寿科整康行楽安消外整血遺麻寿化形
整整外膚疲血銀健化膚不銀安形食血労寿形楽
寿寿科血温命行疲楽液体食寿酔整血均寿消遺
化形楽遺良安外安食老不膚皮老疲老酔銀均酔
伝皮死安麻寿酔労消麻寿液食液行皮行疲疲平
楽命不健楽遺温液血品消死品消温死不銀安整

健康 Health 6番目

炎血病折毒所炎折梗白塞白染皮伝保骨骨病生
所健保炎内歯険病健筋保骨染膚消膚険内生染
肺心健折衛血保病伝険康内梗折心折炎険内梗
膚険康折伝塞膚心折筋病筋消衛健内康折科健
消所衛科炎塞健染生梗歯険伝染所肺伝白炎折
消皮病染炎康折内筋病歯病染肺衛膚肺消塞険
病健康折健毒塞折血生血血病骨筋科炎塞膚肺
康白血康険肺康病炎白皮消炎折白皮生塞衛衛
炎病皮塞膚膚白健筋骨険衛衛所塞衛保膚保骨
皮毒膚白保炎血衛伝膚伝保骨塞病歯康消伝衛
筋保科康心炎膚健険生心衛心病染衛毒生血険
科所皮白伝消科毒塞筋骨健病骨科白毒肺梗梗
歯康白皮険科険染梗科心血康険険炎膚健険筋
伝病炎膚筋所所塞生消肺血健保白皮折所白骨
康険所健歯心梗梗骨血衛心康保険険心血険炎

健康 Health 7番目

吸質法心癌質死放害医呼癌人脳施法物質射死
臓死理学療法士癌理施児医療脳人科呼吸防脳
医臓予施小射放質質防癌科施放害工人呼図質
癌放小吸医射療設予体理器心防射質呼癌器身
化工線工線予体質質電児心医死害施工吸脳法
電害障体身小物心体線質発心施児発化小呼施
小療医心体線死臓電学物脳発医士学物臓害癌
化児医障科人工障発図癌療工器療防小物器体
法電科質射理施脳質射発臓心法害施理電士予
人士法工工線障射障防電臓図人工臓器電器癌
化物障死物器設施療医発療防身児臓障防法医
児小呼線法化療科害人医体図科電障線設電線
士医質児図医吸医学害死臓吸理発吸療科化設
予脳施化死心発人化吸身児施児発物学障癌呼
人科児呼学癌射器発学児脳予射死工化法電死

解答 Solutions

教育 Education 1番目

退 校 席 退 席 徒 学 育 中 退 育 高 出 小 校 験 中 教 験 席
室 留 生 小 試 試 中 生 退 等 高 育 校 学 学 欠 等 校 中 学
等 小 入 中 中 試 席 育 室 高 校 室 出 験 室 校 留 試 室 室
験 留 欠 等 等 験 席 試 等 席 小 学 育 中 席 留 留 欠 小 校
出 験 留 生 校 留 高 徒 等 小 徒 出 徒 校 席 校 小 高 小 欠
入 席 小 校 学 欠 徒 小 留 高 中 教 中 室 室 生 席 入 試 欠
退 等 室 席 学 学 欠 試 入 教 生 入 校 験 校 小 等 徒 教 退
室 入 育 校 生 験 小 入 徒 高 験 小 退 欠 等 等 徒 欠 退 入
学 席 校 退 生 等 生 入 高 室 留 徒 学 校 教 試 中 教 留 留
中 高 室 高 徒 教 席 等 出 験 験 席 学 徒 小 席 試 校 校 欠
生 試 退 等 験 室 学 試 中 生 欠 教 席 等 育 試 教 学 中 欠
入 高 徒 入 育 校 徒 出 校 高 中 験 験 等 高 欠 校 中 中 学
験 小 入 等 退 入 中 教 育 入 席 育 学 室 出 室 小 入 教 生
高 中 小 出 教 入 生 出 小 育 験 高 出 中 校 退 入 試 退 教
席 生 欠 生 退 試 小 入 校 欠 生 高 験 留 入 留 留 出 中 験

教育 Education 2番目

業 稚 卒 者 稚 研 論 宿 園 宿 宿 立 修 業 園 文 立 学 幼 研
私 修 文 者 論 宿 国 論 幼 大 園 文 題 論 園 題 修 幼 論 題
大 国 幼 国 研 国 研 卒 国 業 幼 者 公 国 者 幼 稚 稚 論 修
園 大 稚 幼 研 大 宿 私 生 私 公 文 大 生 題 国 公 大 院 学
業 私 研 題 大 幼 国 修 業 大 卒 稚 公 公 題 公 大 題 公 業
園 業 私 修 公 題 修 業 業 宿 院 学 国 公 学 論 論 研 国 公
修 稚 大 院 学 私 稚 題 業 園 幼 公 宿 私 修 国 卒 立 園 者
国 幼 文 稚 研 国 生 題 公 卒 大 公 院 論 文 学 論 者 幼 私
院 修 公 幼 宿 論 生 修 者 大 稚 学 研 私 業 院 院 者 生 私
稚 題 園 院 幼 私 園 卒 公 私 卒 稚 院 者 大 園 題 立 者 生
大 稚 稚 卒 院 宿 立 論 生 私 研 公 研 公 題 卒 修 院 者 論
卒 修 者 大 公 修 修 大 幼 研 私 生 園 大 稚 論 論 園 稚 卒
国 国 生 私 私 国 文 院 題 幼 幼 稚 園 文 業 院 生 公 卒 文
大 公 卒 題 私 園 研 文 修 宿 研 者 私 幼 文 大 卒 学 立 学
学 園 国 公 園 業 宿 幼 生 院 立 園 学 園 者 国 私 幼 卒 学

教育 Education 3番目

師 師 義 義 施 材 施 師 理 理 学 社 講 業 国 師 理 理 師 地
理 業 外 外 施 語 授 外 外 授 歴 地 講 業 施 学 料 外 科 地
数 文 料 教 業 論 設 科 社 卒 講 史 材 講 史 会 地 業 科 講
理 数 社 学 師 料 授 歴 論 材 講 学 施 業 史 料 会 材 授 師
設 論 卒 国 学 授 国 義 授 学 授 会 卒 数 理 業 料 史 論 理
文 業 国 外 科 業 講 教 師 学 卒 業 論 文 語 師 施 施 卒 地
卒 授 料 科 材 論 講 卒 業 業 地 業 施 卒 施 外 卒 師 数 地
師 材 論 論 授 文 材 史 業 材 国 論 学 歴 材 語 卒 材 文 会
授 科 外 材 数 料 地 論 業 業 理 外 料 会 師 施 授 業 学 義
施 国 史 教 料 設 国 文 歴 業 国 外 国 設 授 理 施 義 業 史
語 学 義 卒 卒 地 材 講 卒 師 義 文 料 師 義 社 設 授 社 教
外 社 業 教 地 文 社 歴 教 会 外 設 料 学 設 会 科 授 文 数
設 史 料 史 地 施 授 教 教 講 外 語 学 歴 会 卒 施 会 材 科
論 史 理 設 師 数 業 文 学 料 国 地 材 語 義 史 国 卒 施 会
設 国 数 教 地 施 学 外 国 地 教 語 語 外 国 師 社 学 歴 歴

教育 Education 4番目

入 書 験 課 長 教 図 学 入 学 学 図 績 教 期 験 学 績 館 試
育 学 績 教 試 期 書 員 程 証 入 授 学 教 績 証 績 験 績 育
証 績 験 長 長 績 課 館 入 教 育 試 験 績 授 長 授 験 長 績
入 証 位 図 位 位 校 員 員 績 長 課 位 入 間 績 書 成 校 育
館 験 館 員 試 程 位 位 員 員 期 証 課 績 書 書 教 教 成 館
学 験 試 学 入 績 課 験 育 授 成 位 程 入 図 長 館 育 試 証
課 授 校 成 証 期 入 期 期 館 位 館 験 学 教 書 程 課 績 証
学 証 験 校 課 課 授 成 員 試 図 教 程 教 図 図 長 程 長 証
校 入 教 期 書 館 学 程 程 授 程 長 図 績 学 位 試 証 課 課
図 証 位 期 成 課 期 育 館 長 課 館 期 館 育 課 入 績 試 課
験 程 程 位 成 員 育 校 課 図 図 課 成 長 館 程 間 図 課 成
員 証 育 期 館 課 入 授 程 課 証 校 験 学 成 長 程 試 授 成
証 成 入 教 育 育 試 入 入 学 授 証 程 教 教 書 図 学 証 験
館 員 入 位 証 学 績 学 験 試 図 図 長 間 課 期 校 間 証 館
員 長 員 入 育 試 成 入 教 学 育 験 書 授 長 課 験 入 書 育

教育 Education 5番目

気 電 政 気 洋 心 本 経 史 物 電 文 化 洋 気 史 工 心 化 西
採 経 本 西 理 天 史 電 経 電 天 採 電 日 生 生 生 採 生 電
文 生 史 洋 日 政 工 日 工 本 気 本 政 天 採 政 済 洋 化 生
理 物 日 心 日 済 採 学 理 心 天 工 点 電 生 生 電 理 化 治
日 学 工 文 工 電 理 済 工 政 電 点 学 洋 化 西 天 天 工 史
洋 政 済 治 学 気 日 点 済 政 経 生 物 本 点 治 工 理 点 本
工 理 史 電 物 心 学 済 気 電 政 史 心 政 生 史 日 文 経 日
天 学 気 理 理 史 西 学 気 西 生 化 点 本 政 政 洋 工 物 政
政 点 治 生 点 経 洋 理 学 史 採 政 電 理 採 採 学 気 西 生
理 本 点 政 採 本 史 治 日 理 日 電 西 採 政 治 文 西 西 政
気 西 化 済 物 心 本 西 済 点 本 物 工 史 天 理 天 史 西 採
学 化 気 物 文 政 学 心 西 物 理 学 理 経 日 生 電 文 本 心
済 電 心 洋 天 本 工 採 文 採 史 洋 史 採 理 経 化 化 化 政
電 学 政 経 済 学 洋 工 生 治 気 電 洋 政 文 治 化 日 洋 工
心 西 治 学 電 物 天 本 日 採 治 本 化 洋 洋 物 天 点 電 物

教育 Education 6番目

数 論 学 語 歯 哲 史 歯 哲 精 語 社 学 語 言 数 哲 代 言 地
哲 言 言 会 理 理 哲 社 言 質 薬 代 語 代 理 洋 病 神 質 語
会 病 代 言 神 地 言 精 言 会 論 言 病 質 理 史 質 史 論 論
歯 会 史 語 哲 学 質 精 言 理 理 洋 語 洋 言 語 薬 質 地 論
社 薬 史 歯 語 論 質 語 言 薬 代 論 社 哲 語 数 語 薬 会 言
史 薬 東 精 数 理 論 東 理 質 論 学 東 語 史 理 数 語 歯 学
史 論 理 学 精 歯 東 神 会 理 質 地 語 洋 東 語 社 語 論 洋
地 会 東 言 洋 歯 言 神 語 社 病 会 東 神 地 洋 東 薬 史 洋
歯 言 薬 神 東 会 神 代 代 洋 薬 史 社 学 病 論 東 代 数 病
神 語 哲 数 学 学 質 史 精 洋 数 病 論 理 東 精 病 学 言 論
薬 洋 会 数 数 洋 地 東 代 質 精 神 史 歯 代 史 東 語 精 神
学 代 薬 病 代 洋 理 論 薬 論 論 精 質 洋 言 東 社 病 東 社
代 質 社 質 地 数 学 代 数 史 論 病 学 理 数 語 論 史 語 東
理 歯 精 神 病 学 数 質 社 歯 代 病 質 学 神 史 社 会 学 東
社 理 神 言 理 語 数 論 質 地 史 地 地 洋 言 洋 質 理 社 東

解答 Solutions

教育 Education 7番目

員 科 校 授 目 攻 研 旅 予 授 考 研 科 金 研 研 授 庭 旅 究
教 科 旅 書 考 校 庭 細 目 奨 予 攻 細 校 教 修 参 修 教 予
書 修 金 細 金 参 究 攻 参 修 攻 家 教 書 講 専 師 奨 堂 庭
講 修 究 学 師 科 研 考 家 授 考 攻 学 細 備 書 室 細 堂 授
書 専 室 考 室 書 師 攻 講 科 科 参 学 修 攻 堂 科 考 行 学
師 奨 奨 細 研 修 修 究 細 講 授 家 旅 考 校 書 金 教 攻 究
目 学 修 師 攻 書 家 金 考 科 行 備 備 科 授 細 備 究 授 攻
庭 金 員 予 究 学 堂 学 室 細 学 目 家 細 備 堂 目 考 科 堂
授 教 考 行 攻 攻 備 目 攻 修 修 予 校 金 教 校 参 研 校 科
旅 室 奨 細 備 予 備 校 員 書 校 備 師 金 員 書 教 予 講 金
研 細 校 教 校 教 修 学 考 家 旅 究 行 員 室 考 究 堂 考 室
奨 教 師 行 旅 学 修 備 学 校 庭 金 科 攻 攻 書 行 行 細 庭
家 奨 授 講 行 員 奨 旅 目 攻 家 教 行 行 考 科 細 教 専 講
室 講 攻 細 専 奨 書 学 奨 究 書 研 師 参 攻 研 専 家 校 奨
室 専 教 室 目 書 修 室 専 金 専 家 師 奨 金 師 細 参 校 書

科学 Science 1番目

電 放 胞 炉 学 物 学 射 生 伝 実 放 物 能 実 学 実 放 技 原
原 験 能 形 子 学 学 生 科 力 実 射 細 物 水 生 技 細 素 生
術 炉 原 物 子 伝 遺 術 伝 伝 電 科 遺 実 力 放 炉 図 術 放
能 射 力 炉 炉 射 図 放 原 細 形 子 生 術 炉 学 原 胞 子 子
科 炉 物 形 形 射 胞 験 子 形 水 力 射 水 細 技 原 力 原 図
生 胞 術 実 水 遺 遺 科 能 子 図 電 遺 伝 形 生 形 原 子 細
術 炉 力 胞 遺 細 炉 能 射 胞 生 射 験 素 能 技 胞 能 遺 放
細 遺 射 子 伝 射 原 図 素 炉 図 細 物 力 図 図 能 能 科 形
能 子 素 技 遺 物 科 図 験 素 学 子 水 技 能 技 遺 細 物 胞
実 術 原 射 炉 物 術 験 験 射 素 遺 伝 図 水 科 実 胞 力 素
子 科 放 子 技 能 技 科 電 伝 細 射 物 射 原 細 射 物 炉 射
科 験 原 胞 伝 実 科 技 物 遺 放 放 伝 生 子 術 子 素 形 伝
術 実 能 伝 水 原 細 原 細 子 射 遺 水 科 実 細 科 子 生 力
放 電 能 図 遺 力 実 子 物 力 能 電 技 素 学 技 素 素 放 電
原 学 素 伝 射 実 水 力 術 形 学 細 図 遺 射 原 生 子 射 電

科学 Science 2番目

能 先 波 核 宇 学 工 命 生 宙 学 生 先 先 能 理 合 術 技 原
学 生 核 先 情 工 学 報 宙 術 工 合 発 核 報 理 先 人 端 宙
人 技 能 波 先 報 命 核 発 術 電 処 開 核 発 学 合 発 融 原
電 電 先 処 器 命 革 機 情 合 融 報 融 端 端 端 生 報 報 融
革 開 原 報 宇 生 学 命 理 融 学 生 命 情 報 機 宇 技 機 技
革 機 電 宙 革 端 先 能 核 端 生 技 融 核 波 技 人 命 融 工
工 宙 開 原 技 原 学 情 発 技 人 器 生 器 電 発 報 宇 工 先
原 発 端 技 機 宙 発 核 核 工 宇 融 能 宇 理 先 器 発 宇 機
電 融 核 報 学 機 機 能 端 情 発 核 生 核 合 機 処 端 情 核
工 電 発 器 工 核 情 合 融 核 宙 器 理 宇 開 電 宙 先 合 開
技 生 合 宇 学 波 宇 宇 端 宇 技 能 宇 処 電 術 端 宙 学 先
命 開 学 人 発 工 端 報 革 学 命 技 術 端 端 技 理 命 理 工
機 端 情 波 理 先 核 能 学 宇 能 先 開 発 術 処 生 能 革 機
理 生 能 工 報 核 先 生 電 融 宇 人 宙 情 報 工 開 工 原 核
合 端 工 端 端 宇 開 理 術 理 発 人 理 情 工 合 波 理 宇 電

産業 Industry 1番目

穫 設 民 用 源 用 地 産 穫 加 資 穫 資 利 用 収 民 生 源 地
加 加 業 建 場 利 穫 源 加 建 地 土 穫 建 資 工 資 穫 設 場
加 設 収 利 利 生 場 土 源 穫 産 穫 業 産 民 工 用 地 産 加
土 建 業 源 収 生 用 建 工 利 工 建 地 源 源 源 農 収 用 場
源 建 源 土 農 設 源 源 土 収 用 地 資 加 農 産 収 用 農 設
業 民 収 工 地 産 農 地 生 場 源 農 利 農 土 用 民 収 加 土
収 工 資 工 民 資 農 収 収 利 利 源 用 工 収 地 建 収 資 用
加 土 生 土 設 収 地 建 収 産 工 民 用 工 土 土 加 利 産 資
加 資 生 設 業 資 工 建 場 収 収 産 源 地 民 地 源 利 資 産
建 場 地 用 穫 土 用 建 業 土 農 農 収 加 民 利 穫 工 農 収
工 建 業 設 場 地 地 生 民 地 産 利 業 民 源 用 収 利 土 地
資 土 生 民 資 加 設 業 生 用 産 土 用 場 設 加 建 農 収 工
農 設 場 場 民 業 地 業 設 設 資 設 生 源 民 場 民 土 地 源
収 土 土 業 資 建 収 収 設 民 場 生 土 生 源 収 収 資 農 農
収 利 源 業 用 収 加 民 設 土 設 穫 地 建 産 民 土 利 農 収

産業 Industry 2番目

地 造 製 家 地 業 炭 地 鉱 畜 林 林 坑 林 家 鋼 家 炭 製 鋼
石 材 炭 鉄 地 炭 鉄 製 木 坑 農 石 坑 木 炭 農 産 家 物 製
鉱 畜 鉄 産 物 石 家 林 林 山 材 主 鉄 家 鉱 石 林 木 家 地
炭 物 坑 業 造 鉱 鋼 産 石 坑 畜 業 業 地 鉱 産 造 造 山 農
山 製 石 地 造 地 地 鋼 坑 地 材 炭 畜 山 坑 鉄 鉱 鋼 業 製
主 木 林 産 石 地 材 物 林 林 山 鋼 石 山 石 産 材 鋼 山 家
農 主 産 物 鋼 炭 鉄 物 家 山 炭 林 主 主 木 農 製 材 造 坑
家 木 製 産 製 炭 産 鋼 炭 主 材 主 木 産 産 林 製 産 産 石
材 農 物 地 鉄 農 農 産 坑 農 製 家 林 鋼 林 林 坑 鉱 木 地
林 炭 産 造 産 木 鉱 林 山 地 石 家 造 地 鋼 農 物 物 鋼 業
鉄 製 鉱 地 地 製 石 農 材 炭 炭 鉱 地 家 山 家 鋼 畜 林 主
山 製 主 造 鋼 地 地 坑 石 産 農 石 石 石 石 鋼 林 造 農 鉱
物 石 物 産 鉱 家 鉱 鉄 地 林 家 木 業 鉄 物 鉱 林 主 鉱 林
鋼 造 畜 農 家 産 炭 製 鉄 地 山 鋼 鉱 石 林 物 鉄 畜 造 産
造 炭 山 物 炭 業 主 製 業 炭 山 産 木 造 家 物 家 材 石 鉱

産業 Industry 3番目

工 金 属 小 燃 大 地 機 料 理 農 農 金 大 作 地 機 修 理 耕
金 大 牧 は 地 理 業 物 は 理 麦 肥 穀 か 麦 地 は 場 機 穀
穀 工 は 場 農 有 牧 金 小 か 業 有 業 牧 は 場 料 機 金 工
牧 麦 穀 穀 業 小 肥 は 属 農 肥 修 穀 穀 肥 機 耕 か 業 穀
修 料 麦 作 肥 耕 有 だ 穀 工 修 地 作 有 属 だ 大 物 業 燃
機 牧 か か 物 小 肥 地 場 工 業 肥 は 地 は 農 金 農 業 か
物 肥 牧 麦 料 料 穀 作 地 は 修 金 修 穀 耕 修 機 機 は だ
耕 地 穀 理 麦 牧 牧 牧 は は 場 か 修 業 作 有 地 穀 作 だ
機 場 場 作 有 作 有 耕 料 作 農 工 農 牧 料 小 料 工 燃 作
理 穀 修 有 穀 作 小 耕 小 物 機 燃 は 物 小 小 料 地 理 穀
耕 工 業 小 地 牧 金 属 工 穀 は 作 だ 料 小 料 穀 耕 機 小
理 物 業 修 料 だ は 大 業 牧 は 業 機 だ 作 場 農 理 物 金
機 作 だ 燃 作 穀 だ 物 肥 物 牧 だ 理 麦 工 小 麦 属 理 物
工 場 地 金 属 地 か 耕 は 牧 は 金 地 は 業 地 作 か か 肥
大 場 料 理 物 業 物 工 工 燃 物 工 肥 麦 有 麦 か だ は 麦

解答 Solutions

産業 Industry 4番目

豊鯨水物価木属電電金食物電物豊豆物物作属
金主大木水食食価糖物米捕食木砂土食産価水
捕作産主作大物属業物捕力豊砂業砂捕織大豊
大価産糖糖水業食価水金業捕業主力水土糖産
鯨織主豆米鯨電土木業土力主物米豊織豆織主
電属水金物鯨大物金物砂金米豊物米電土豊価
木電砂電作物作米捕木砂電木捕属電業主土主
捕食大米力鯨産糖水業捕水作属作属水主捕糖
力木豊業米砂価水食金作価豆土属電織食織砂
水属主物価水金食産力価作価作捕豆水大豊主
大鯨鯨電電豊織米業大水電鯨主大捕産産業金
食産物物食食大土鯨作価物電鯨物豊鯨大業捕
水織大捕業鯨価鯨豆水電属米物電糖主木産金
砂米大電米砂水金力価電豊豆業電電鯨電豆豆
鯨木豊作主土属糖糖糖大水力米織電大作土米

産業 Industry 5番目

機在農生業造約生工契漁業造料庫石量舶食在
造業産生肥学食舶学油薬機約舶品肥生農在舶
造舶機海生船約料薬工産食石在造薬化大械化
品約漁薬庫近大学量化農化契量油業漁海近食
漁石業工船舶量造化量契品産漁造品舶料庫食
大業量料食工化肥学産農造量業造肥油約海海
学石大大産学漁品肥生料約大業近農造薬食在
海海学薬工化漁近料近近船造業契契業漁量工
海学産業農学油近油石業化機契農産械食量量
業大学契化大漁肥肥海肥学約薬近在薬化石約
学約舶産約農農生学近産農大庫船食在約石在
料機契舶生料造生海庫業産械農近生品在械契
機料薬肥生舶海械化食庫生船近船契船近舶料
械漁船工在海学庫造料在量料農肥学油食石食
業生産機肥業大庫庫石肥大契在機契料在約船

産業 Industry 6番目

精倉錬物品料食林理植理植錬庫農繊品理品給
物農製品理管業工倉庫電工食維工植農宙管給
給錬宇林給械理織品錬林織業物倉繊庫錬繊倉
林宇電庫繊産林自植綿宙織工食錬気品製電給
精織製産錬倉自電気製宙林械質家農物維綿庫
理製管植維料理食植業料製機錬機質農宙業理
植質自物品給製気電業倉倉宙綿気製物給械庫
工給理械錬械家綿織質家家業繊工自倉農管料
植物維宇庫家食製物料品産錬機繊林製電質倉
械産業庫理工錬管織繊管庫業電林林理機品管
械物自産宙給宇精綿家質食自気食宇維業繊理
品電物質宙機農管質理織産物製産精質物給産
質繊品維林宇宇食品料気製植品電精庫錬理織
管錬繊機宇料林植錬維産精理繊業家業農品維
理食林電工械農物宙食機給産品綿精宇機庫維

雇用 Employment 1番目

人職者金退者進就実就用退実合賃人進者用職
合労賃賃就合職雇業就合者労勤昇辞辞勤給用
人賃雇退昇賃勤進者実昇金人退勤昇求給金組
実勤就実組求職労労業進合辞業勤賃者金退組
人用実進組労者給人業辞求組労実雇求就用賃
給実賃退者勤金職合人実者退賃合金求求者雇
勤用賃賃進就労給者賃者賃賃勤進用進者就求
賃賃人職者者組退辞辞賃職進給職労職金合労
業合職組実就辞組賃者人職勤退賃賃給職賃合
給辞用賃労用用労辞合給金勤者合賃勤組給退
就金昇人労昇合勤雇勤労給給雇実給金用給退
給雇金者雇金労金就賃給業雇実人者勤人組給
給求組人合雇実雇金者用金金給職業給就進辞
合求業求賃退辞退求組人者労労労金昇人退就
雇求雇業辞退金就退雇組用就雇合雇退実雇業

雇用 Employment 2番目

働勤残社議業時労失約勤労約業社争人勤償工
理社人時収契償補約間工失契償約間残約工社
償業時残収整勤工整間働残整年人争補整社理
収間臨労償収時場員間年業職勤働整員勤時収
理労場臨失争働整理働職収勤議業社議補収残
契工議年場員補工業務時整残約時時務理人議
労社工場人務勤約労勤残失労臨契収約員整工
補契場償労員場務社年残務残働働社間年社臨
契失年員年争整補時社議臨臨時職失残臨残失
収議働働契職補理場間働収臨員整時人工工工
議人勤年時労時争補務議人働人勤失争工務理
臨臨働補間働補補働議務契契員時時工議間働
人務社勤理契業働補間勤償勤議人社労整収働
争理勤臨働約場時時働議約間失約場償労臨職
員場業失整働収職契理収職争社償整議勤残社

雇用 Employment 3番目

残年料労年織金害織労件件件序業手残料業条
幹者働幹労働災害功当残金織列列求任件部序
残列列列職働者職初労手残功条序求働災給災
法災者労残求部職求幹害務害業功給当法手手
求列業職働法件業求務給残織件年業列働年求
手初料序職条残任条序料列給業務者件件者労
給条料法件任件働料織序残務任務給任初年労
任功者者害業働者織残条業法料織労者当職件
給金初列当金給序務条年求初残業手当災求害
害条組料働織列部残部件料料当料働給法件給
任組条条災列給金任功件功働初年者給序組列
料者年業列年初序織法条年部料功害労害織条
任部法年列働件条働者初序幹務金織織列部初
件者求料金部金労害部部害災働職部働職務金
組料任者序手初労災法給手法年組年当残組当

解答 Solutions

逓信 Communications 1番目

誌局電送送情月月情通出気刊者局放報庫者生
月庫演文庫本月者刊送文情放誌電刷著信情文
信誌著刊出気本報信誌演信通演誌本気著電出
刊演月本報局誌月刊印者演著通文刷版演版月
誌生電刷報気文放出出月局文本生文月刷演通
刷気信出庫信局局電誌信情信情信著信月印電
局者電報放印通送通文刷者誌印刊信報演情送
庫演出月刊演演局放出報情刊誌印版本本演電
局気送誌報信情局著文気演印放版通月者者刊
通版情月者印者月気情通送印本局生出信信文
版刊生者局刊生出電著者通局放通信本信月誌
気誌通出者局刷電文誌印情刷本報文生通情本
送気信本庫局送刊刷出放生信庫報放誌気送送
出送生気刊電刊庫報月生放送気著信気電版月
放刷気本者出文通出局気信誌演放生出月誌情

逓信 Communications 2番目

作録送紙引星権集聞刊週星目星週次作行索週
集信紙次星週全著著引単送通引放光聞表引週
刊集単音衛衛行信表刊行引衛録表単全画録作
単送目著送著星本行送作目集次紙引本行著送
音音刊引放索音全著紙通作単権音紙引放行誌
紙星紙集週単聞衛次刊衛民信送権行週集画行
週索光引本音放光索単録聞放作信行目週誌通
送送通画星民音単目民集放著録録民目権録聞
引権信送目権作送誌目録送索送目通著表刊目
行光録星録光星行次送音信行放誌衛集聞録録
民信信聞信刊行紙権聞信星集単衛本単放権全
衛単行本通音著著通星通作作録行集衛信画権
誌送送本索民著表信信信送本放行集放誌信本
本索送刊通録光刊行衛聞次画放送権刊引衛星
権権権音行民単著聞放光週作索本週音誌録刊

逓信 Communications 3番目

聞員道出見報数道記新事材出事特書行記員し
特派数聞材説記記長材道説行特投派部書記社
書数報出員編社材数特道編員道投者道事行行
者材行取見派出投見数道道記取者出聞見社部
説しし数事取報新し者者聞道編新行社聞長編
員数記特数特し見聞見長報書事見数し発行聞
出員報数特聞編し書発部特材材新説見数特発
社行聞行発員長数事新行取部編長員説部派社
者集長部報長特部員特記部集社新見事行道部
し記報社聞聞社編事取道長数投道投聞集記集
聞派材長書数派長投説新取報取説編長特派員
編見行発新長書社長投事出集事新発事説聞編
事出書聞特報特長投長派数見見派集書長員事
説し社報派集編特特記派道集聞出新出説取し
集聞長数派行報者社記部社新特道投報見発書

交通 Transportation 1番目

表車踏通間国車通旅旅切車私私近通客下不交
道道通道乗不切時車表時客不切切地国車乗地
私下車道乗交表切不踏客切客列地客通地不客
踏地客不下交旅下私車通間時不交地近間切道
旅国客時鉄国旅時不下鉄踏不私交地鉄列通近
旅車不鉄乗表踏鉄乗間不乗地地旅交乗鉄下通
鉄下下表切国客客道地近鉄下踏列交乗地私国
地乗列時切道間客切交間表不通旅地時表列時
交時表近地通国車車間切客道私乗不踏地表乗
鉄切通通旅道国近不客列列車交列表列地時交
踏地鉄旅通通客時踏旅乗切国近下間鉄間客国
私間間表踏地国近列近通私国客列時近地列乗
乗近時乗間旅近乗客踏列通近時間乗下切交表
私客交鉄通間乗乗間私地鉄通交旅鉄切間間表
近私踏客列間通道不切地表鉄時乗地近国近下

交通 Transportation 2番目

路新着送出線線乗特速高線乗高信到高送客車
出輸到号道客号着乗出線発信輸路特送速行行
貨車特路路客輸貨急乗乗急車急急貨車路高出
速道輸発新幹道貨線発出輸幹信路急着貨幹特
乗急道物輸新客線乗速線号物高客路物発到行
速車線号物客着発道新速道行信車路送発新高
客道路輸路号高信高特客号着客客幹貨急幹速
着新輸号貨貨送発速幹号発路貨車高発路線道
車貨号道輸発特特行急送速路急線乗貨高物路
客車幹着乗到到速号信速急幹高輸道車着客行
特貨貨輸幹出物乗物着発新送着幹高貨新新速
発乗輸行新信速客線着急線高車車号急出高幹
着急物速乗急着送号幹送路着車車幹客道到幹
送出輸道物輸発路車新号輸乗高乗輸高新車到
速号客信車特道送貨貨客号到物幹発速路高出

交通 Transportation 3番目

通線車国折事勤通進点路故乗進右通り線国歩
道交交交交差点事国駐道点差差右通故事通交
用進車乗進線道進交駐用路差歩乗事故左事回
左線差り進車通り回進通線車道回通交道道車
国事駐歩乗道左左回差乗事用折駐差進差りり
交線乗内折内内用歩路車歩乗歩左交道折勤点
乗回右右駐通車線進勤勤歩交点り線乗点交進
折駐点り進内折交交線国車回駐右故路乗内故
用線乗交道進歩用車通右勤歩通通右交道事差
路歩乗乗差進事国用駐点点右国路回用右道右
り差差点通駐線歩路右乗乗用り用通路右右駐
進事車通り交歩回勤国駐左国内右り交国事点
差乗歩事国路路駐路点通歩国内路国交用内道
折通折事国用内国路点乗右回通線回勤事通路
点折路道乗折用折点故乗車差交乗路点り用道

解答 Solutions

交通 Transportation 4番目

運	通	制	離	許	用	有	度	家	限	地	反	用	突	反	橋	家	行	限	通
行	証	橋	運	旅	制	陸	許	旅	制	度	許	運	衛	機	行	路	反	交	限
料	通	橋	証	車	運	離	歩	離	度	制	交	料	一	制	道	機	料	転	旅
家	陸	方	証	方	行	用	歩	免	速	反	突	通	歩	料	車	料	客	有	反
運	通	免	一	交	陸	地	自	車	自	速	歩	交	有	道	旅	違	転	旅	有
通	度	地	許	違	通	路	許	有	着	車	反	有	通	運	反	突	着	旅	突
歩	運	歩	旅	度	家	機	交	用	離	橋	地	有	限	違	陸	転	速	客	客
陸	違	制	有	限	道	方	有	運	機	証	家	証	橋	制	反	突	通	自	交
路	道	歩	違	証	衛	違	転	通	自	家	用	車	車	有	反	家	制	陸	有
料	有	速	路	橋	証	有	反	旅	着	限	違	自	車	着	行	違	機	度	旅
道	反	料	度	速	自	許	運	限	路	反	通	通	車	制	反	行	道	速	歩
着	反	衛	行	免	通	運	許	度	衛	車	反	用	反	衛	歩	免	橋	旅	通
家	客	転	運	転	免	許	証	行	用	一	客	衛	自	着	通	陸	道	速	道
限	違	反	運	歩	通	衛	歩	機	客	機	車	一	車	歩	陸	家	歩	方	証
離	突	度	道	陸	衛	路	橋	免	歩	違	地	橋	運	突	通	反	用	用	機

旅行 Travel 1番目

席	席	民	民	予	泊	食	堂	光	光	食	図	食	席	地	館	観	旅	席	食
旅	車	団	手	手	手	予	予	宿	食	観	観	体	空	体	観	台	食	予	体
民	堂	堂	行	手	館	行	行	民	物	約	地	荷	空	宿	物	物	寝	光	泊
堂	旅	団	堂	空	体	約	光	体	荷	車	光	車	予	荷	団	泊	食	団	宿
台	物	地	予	民	物	席	約	民	食	地	予	寝	手	手	民	堂	予	手	団
食	行	車	館	団	荷	荷	図	寝	団	荷	寝	地	地	団	約	空	民	旅	約
車	席	光	行	民	宿	荷	台	旅	車	手	物	堂	体	寝	堂	地	図	民	物
寝	席	民	約	寝	予	車	宿	宿	席	車	宿	旅	席	食	予	約	約	行	旅
旅	約	観	光	地	体	予	寝	荷	体	食	行	堂	光	堂	寝	車	観	食	光
台	泊	宿	行	宿	地	行	手	席	館	宿	席	泊	予	車	台	泊	民	団	予
空	館	地	寝	空	物	約	空	荷	台	堂	観	民	館	台	旅	空	光	約	行
荷	光	空	食	約	荷	物	物	荷	行	行	旅	光	観	館	手	体	泊	車	荷
旅	宿	旅	空	手	団	席	予	車	民	堂	空	旅	予	食	民	予	光	館	約
寝	寝	食	台	約	光	手	宿	観	寝	団	空	図	堂	体	旅	空	行	宿	体
体	館	堂	手	地	席	地	館	予	台	約	民	旅	館	荷	荷	図	地	宿	館

旅行 Travel 2番目

免	内	理	指	指	札	券	満	理	期	口	内	品	員	所	員	案	切	口	案
号	満	品	代	費	口	由	満	号	費	税	理	添	改	号	券	免	由	品	席
内	税	案	乗	免	満	期	免	理	免	案	指	案	札	理	切	満	税	座	切
理	号	席	定	改	代	乗	指	行	札	品	符	案	口	定	期	口	員	由	由
代	税	券	品	内	番	席	席	席	員	所	内	案	案	店	所	税	乗	内	席
座	号	行	内	添	由	定	理	員	切	品	座	期	期	札	行	自	免	自	改
券	期	品	号	座	指	由	満	品	税	定	券	店	内	由	由	券	旅	改	自
席	旅	期	内	番	符	席	符	札	指	費	改	理	代	席	自	税	理	旅	理
品	由	札	番	理	席	員	員	符	改	費	席	行	税	定	符	理	口	案	札
期	理	番	内	番	改	座	指	行	口	案	旅	指	満	店	行	口	満	由	所
所	員	券	席	期	改	理	理	番	行	店	満	券	理	番	店	自	代	乗	内
税	免	税	品	免	内	切	旅	口	添	旅	乗	代	指	切	号	内	満	代	席
切	員	品	券	乗	由	符	旅	乗	札	由	行	店	所	理	自	費	免	番	行
定	税	内	由	税	定	品	員	号	員	旅	旅	品	改	税	定	理	口	員	員
乗	定	期	券	内	席	旅	員	改	案	員	指	税	号	指	内	免	員	満	案

天気 Weather

衛	天	雨	低	台	衛	量	星	気	星	度	星	度	温	星	雨	雨	度	高	雨
台	温	衛	度	圧	象	天	度	量	低	雨	気	図	量	星	図	衛	気	圧	星
衛	衛	象	星	図	天	量	象	星	象	台	気	度	量	温	図	気	低	星	台
気	湿	象	台	高	星	度	低	天	高	衛	雨	台	象	圧	雨	図	湿	量	気
衛	湿	象	量	天	圧	台	低	衛	衛	雨	低	図	温	低	気	湿	天	湿	量
量	湿	量	天	天	象	度	度	低	気	低	高	圧	星	高	衛	高	図	星	台
湿	気	星	圧	衛	台	高	衛	温	衛	高	天	象	台	台	象	雨	圧	象	湿
星	量	象	台	高	図	天	温	圧	象	図	星	量	量	天	図	度	圧	台	図
天	度	圧	衛	台	天	天	量	圧	図	低	台	台	衛	温	天	度	低	象	雨
低	雨	天	台	星	湿	星	量	高	湿	気	図	象	衛	衛	衛	天	湿	衛	天
度	度	天	雨	雨	気	星	星	量	高	圧	台	高	気	台	雨	台	台	高	量
低	衛	台	温	図	雨	雨	高	度	圧	量	図	台	度	低	図	気	衛	高	象
衛	湿	高	量	低	度	温	高	低	度	度	度	高	圧	天	象	度	量	衛	台
高	低	雨	湿	気	衛	度	高	気	量	天	気	図	低	雨	低	度	台	天	台
温	湿	湿	台	天	台	温	衛	量	星	台	量	量	温	雨	星	図	図	台	衛

自然 Nature

自	運	殺	熱	原	波	台	震	自	火	原	雨	台	自	動	寒	林	原	台	殺
運	高	雪	動	崩	火	自	震	暴	地	雨	運	高	波	帯	動	雨	寒	高	崩
運	雨	自	波	暴	動	然	台	動	動	高	自	運	雨	雪	運	崩	帯	暴	山
暴	熱	波	暴	動	帯	然	高	林	風	雨	震	寒	然	雪	殺	風	噴	波	波
震	殺	風	運	波	山	震	噴	高	熱	山	崩	震	林	林	地	然	雨	地	震
震	雨	林	崩	運	崩	動	帯	台	噴	動	山	高	熱	熱	殺	高	殺	高	自
自	風	火	林	噴	然	寒	高	地	寒	地	雨	雪	熱	台	崩	雨	帯	動	山
林	震	雨	風	動	原	熱	山	台	自	山	動	自	噴	原	波	林	原	山	熱
暴	熱	運	殺	地	帯	殺	風	震	波	原	自	雪	寒	噴	然	寒	崩	殺	暴
寒	運	雨	動	林	火	震	噴	林	原	山	台	殺	動	運	噴	雨	高	台	地
原	然	噴	帯	林	雨	暴	殺	原	火	熱	林	波	動	波	動	波	動	然	運
然	震	林	震	帯	然	山	崩	然	地	自	台	山	台	雪	動	殺	運	台	熱
雨	雨	原	山	暴	噴	動	震	寒	噴	帯	寒	運	寒	崩	震	震	高	崩	運
風	自	原	暴	原	寒	林	然	火	殺	然	林	然	震	台	寒	暴	台	波	噴
火	林	雪	運	震	熱	崩	地	雪	風	動	地	殺	噴	殺	地	自	雪	暴	風

悲劇 Tragedy 1番目

害	崩	脱	遺	参	全	損	火	風	線	全	地	脱	参	風	体	参	消	全	参
全	事	火	火	全	遺	参	脱	参	線	損	火	体	脱	地	消	全	災	参	参
災	地	脱	体	線	全	地	水	被	体	体	風	崩	事	地	風	参	風	損	脱
消	水	事	崩	火	風	損	災	脱	地	害	体	脱	災	地	消	水	遺	壊	参
体	体	災	事	地	被	地	災	壊	事	災	参	災	脱	消	線	全	被	線	体
被	崩	被	遺	全	遺	体	脱	地	被	崩	消	損	事	害	体	火	遺	壊	線
線	水	線	参	損	地	地	参	風	崩	消	損	遺	壊	壊	災	被	火	地	崩
損	事	損	全	風	全	崩	地	体	害	害	遺	被	壊	遺	被	風	風	害	風
遺	遺	崩	崩	消	害	脱	全	事	風	消	脱	脱	消	参	火	事	事	線	風
火	線	事	害	参	害	線	損	被	壊	水	水	損	風	脱	全	体	壊	遺	風
体	崩	水	風	災	水	体	地	水	線	消	損	風	崩	体	消	害	脱	風	損
水	風	全	災	脱	事	体	脱	体	体	参	消	事	地	損	風	壊	災	遺	消
脱	被	体	壊	害	被	災	被	火	壊	参	壊	体	火	事	火	遺	被	遺	遺
水	脱	災	風	事	災	体	体	脱	体	事	水	壊	被	壊	事	線	事	消	事
脱	災	体	消	消	線	消	火	脱	地	水	壊	地	被	風	消	損	崩	遺	壊

解答 Solutions

悲劇 Tragedy 2番目

球	者	落	死	常	追	追	人	故	遭	球	負	暖	人	人	常	負	口	突	非
負	暖	公	公	故	避	救	負	球	突	公	流	落	落	公	救	暖	常	遭	常
傷	化	公	非	追	地	球	地	人	突	突	遭	化	暖	常	事	地	突	負	口
者	雷	事	雷	球	事	地	温	命	流	故	遭	負	非	雷	化	死	温	死	難
化	非	口	温	球	害	害	人	故	負	避	死	死	突	追	負	口	非	負	害
救	避	暖	球	雷	故	難	暖	負	球	流	傷	避	暖	人	落	化	非	命	非
失	化	追	難	公	落	地	流	遭	口	者	害	温	避	人	非	流	化	失	人
口	助	助	人	救	落	負	流	化	助	突	化	傷	故	害	故	球	故	助	救
害	避	地	突	傷	負	追	避	球	化	者	故	失	死	落	死	常	命	口	落
突	傷	負	故	非	温	事	命	人	非	雷	地	難	故	突	化	助	突	事	非
難	球	温	死	人	故	公	非	流	暖	常	傷	突	非	害	救	傷	死	傷	難
助	故	傷	追	遭	難	口	流	命	落	避	難	非	地	命	地	事	地	地	事
球	化	害	化	化	雷	人	球	温	失	害	常	難	人	害	流	傷	遭	突	避
遭	傷	負	害	化	球	流	難	地	避	流	傷	地	公	事	口	救	害	故	救
失	傷	雷	流	命	助	暖	助	化	地	害	害	者	地	失	避	者	者	助	球

悲劇 Tragedy 3番目

墜	浸	旱	酸	崩	焼	洪	雨	砂	洪	巻	れ	落	津	山	焼	害	れ	災	全
洪	洪	洪	巻	洪	雨	崩	魃	性	れ	れ	砂	雨	性	洪	山	波	雨	墜	土
山	焼	害	波	旱	竜	災	巻	れ	酸	波	落	害	性	旱	雨	洪	竜	崩	焼
旱	落	洪	水	れ	津	れ	酸	墜	れ	巻	洪	津	山	山	崩	れ	波	洪	崩
全	浸	れ	全	雨	魃	竜	土	れ	墜	洪	雨	れ	洪	性	墜	魃	魃	焼	津
酸	波	酸	雨	全	性	崩	焼	津	砂	害	全	雨	災	酸	巻	落	雨	魃	魃
落	土	巻	砂	津	酸	水	浸	酸	れ	巻	魃	墜	旱	落	焼	洪	土	性	全
性	波	土	れ	浸	災	土	山	崩	災	墜	害	れ	災	魃	雨	浸	焼	性	墜
性	害	れ	害	魃	落	津	砂	害	津	焼	巻	竜	竜	津	土	雨	巻	砂	竜
焼	土	津	津	竜	全	土	崩	土	全	害	落	砂	焼	山	崩	津	洪	砂	砂
旱	旱	旱	性	砂	浸	全	水	山	波	水	竜	山	水	津	害	巻	害	山	害
れ	山	竜	山	洪	害	山	津	竜	津	酸	れ	災	墜	土	浸	洪	津	魃	墜
全	酸	水	落	性	れ	波	砂	焼	旱	津	津	れ	津	旱	害	旱	土	れ	波
性	落	水	竜	落	竜	害	崩	竜	性	落	山	焼	害	焼	酸	雨	水	旱	旱
酸	れ	波	魃	波	性	墜	崩	波	崩	巻	害	害	旱	竜	性	山	害	砂	土

悲劇 Tragedy 4番目

犠	知	消	事	知	出	染	出	災	者	雪	雪	集	出	雪	豪	害	染	雪	器
署	防	消	大	報	劇	中	冷	事	災	知	染	知	雪	署	犠	豪	防	牲	防
報	汚	牲	悲	冷	気	害	車	署	車	気	中	器	火	中	害	火	集	者	中
雪	大	染	大	染	事	気	劇	事	車	者	害	大	知	雨	災	牲	豪	害	中
犠	知	犠	出	冷	豪	知	劇	出	者	報	防	器	豪	報	汚	牲	者	中	知
気	悲	報	集	者	大	署	気	知	犠	報	大	中	知	犠	犠	冷	防	豪	者
気	防	冷	犠	汚	犠	車	車	害	大	劇	集	器	犠	報	雪	染	雨	悲	気
車	大	牲	牲	劇	雨	害	豪	劇	気	冷	汚	汚	火	雪	消	署	知	雪	冷
大	者	消	汚	火	知	染	防	署	汚	大	知	雨	事	中	悲	雨	害	牲	気
防	防	雪	牲	害	犠	器	雨	牲	染	気	消	汚	雨	中	悲	災	者	出	気
車	牲	雪	気	出	牲	車	豪	悲	気	牲	出	犠	消	消	染	火	豪	火	中
知	犠	冷	冷	署	大	火	者	消	冷	汚	知	牲	知	雪	犠	車	署	雨	署
署	知	者	汚	雪	火	染	署	報	雪	雪	知	気	雪	車	出	気	署	劇	消
火	雨	中	者	知	雨	消	知	悲	劇	知	車	器	悲	汚	中	悲	知	犠	防
害	犠	知	者	知	染	冷	牲	署	犠	事	報	出	気	雨	署	染	災	車	防

生活 Life 1番目

生	未	家	亡	死	成	流	国	障	未	勢	国	主	活	年	再	宴	露	行	行
庭	亡	勢	再	害	害	活	活	活	婦	庭	活	庭	披	成	害	露	勢	害	再
再	亡	調	結	調	露	査	結	婦	披	査	者	婚	亡	主	生	調	障	家	害
調	障	勢	披	披	国	勢	調	査	婚	調	生	露	成	流	調	庭	活	婚	調
家	家	宴	勢	害	調	害	披	披	亡	結	死	調	流	婦	未	流	未	害	婚
宴	行	婦	露	庭	家	査	未	者	者	披	露	流	披	離	年	成	年	活	活
行	者	披	亡	調	婚	主	離	婦	庭	生	未	婦	行	勢	家	調	家	成	庭
死	行	結	露	宴	宴	勢	者	宴	婚	死	成	成	結	者	離	行	結	流	主
行	結	家	行	主	成	生	亡	国	未	成	年	死	庭	行	庭	宴	成	結	害
婦	宴	勢	亡	者	者	再	主	活	行	行	者	年	行	宴	亡	障	露	主	結
年	成	査	披	者	害	離	年	主	生	生	生	年	国	離	生	庭	勢	披	年
査	調	宴	死	庭	障	庭	披	行	年	者	勢	結	庭	死	婦	結	披	庭	婚
未	未	主	勢	未	者	婦	調	婦	害	勢	離	未	者	主	宴	未	国	査	国
婦	死	未	婚	生	再	年	生	離	再	婦	再	調	年	流	勢	国	披	露	披
婚	国	死	再	国	庭	害	婚	国	活	調	国	年	宴	成	露	結	露	者	者

生活 Life 2番目

重	際	生	乾	者	傷	乾	準	即	生	際	余	余	飢	軽	活	飢	傷	出	浮
味	乾	味	結	浪	死	傷	味	結	傷	余	重	率	杯	水	国	結	浮	出	婚
結	準	余	傷	活	亡	出	結	者	乾	浪	活	余	者	婚	活	準	余	死	即
者	婚	浪	余	亡	率	婚	暇	際	軽	軽	出	際	国	重	水	軽	乾	餓	重
趣	生	飢	飢	味	婚	国	出	生	率	浪	暇	趣	傷	活	暇	浪	味	乾	者
浮	趣	結	重	亡	際	生	浮	飢	杯	飢	出	婚	生	結	飢	亡	死	飢	者
活	杯	軽	即	軽	趣	味	浮	出	浪	亡	死	飢	余	杯	活	活	浮	乾	婚
水	飢	結	出	趣	率	浮	餓	軽	死	浪	生	飢	際	浮	婚	結	際	国	飢
結	飢	即	余	暇	飢	余	際	余	死	浮	餓	死	余	婚	浮	暇	餓	軽	率
重	活	杯	活	杯	活	浮	浮	傷	味	準	婚	余	軽	際	活	出	亡	婚	準
亡	浮	率	死	乾	浪	活	余	乾	亡	暇	際	趣	水	余	趣	率	際	趣	杯
浮	際	余	趣	重	乾	死	趣	生	婚	餓	婚	生	生	浪	出	暇	生	結	準
亡	浪	婚	者	死	婚	暇	飢	浮	重	浪	傷	浮	餓	国	餓	重	杯	国	飢
浪	傷	者	趣	結	準	飢	乾	際	餓	味	準	準	婚	水	浮	味	軽	浪	水
軽	浮	死	死	浮	飢	軽	暇	国	傷	生	即	浪	餓	浮	出	餓	死	重	際

生活 Life 3番目

茶	冷	喫	会	喫	毎	毎	蔵	会	所	所	夕	会	生	所	身	生	式	茶	子
茶	食	食	所	食	夕	庫	生	子	蔵	朝	所	様	庫	庫	孫	店	式	様	房
所	式	独	食	孫	話	毎	堂	独	話	夕	茶	喫	子	生	生	孫	茶	茶	庫
生	夕	子	式	店	茶	台	孫	孫	生	毎	身	生	式	式	話	生	喫	食	身
堂	活	茶	冷	生	独	房	冷	庫	冷	食	喫	式	会	庫	蔵	活	式	生	朝
蔵	身	様	食	茶	孫	夕	庫	生	冷	冷	式	独	蔵	会	活	台	毎	喫	台
台	生	食	式	活	台	台	茶	喫	子	蔵	茶	台	房	房	夕	活	生	蔵	朝
会	房	独	式	身	式	孫	朝	朝	式	子	蔵	食	堂	様	独	話	孫	会	庫
毎	身	食	活	茶	喫	子	夕	台	蔵	話	蔵	毎	孫	堂	庫	毎	茶	朝	庫
話	店	房	身	夕	話	庫	庫	冷	話	店	茶	冷	蔵	庫	茶	孫	茶	生	独
夕	蔵	台	孫	喫	式	独	堂	式	身	朝	生	孫	台	生	店	毎	朝	独	朝
茶	所	活	蔵	台	堂	毎	房	喫	茶	店	喫	庫	様	台	身	会	生	朝	子
庫	活	所	喫	夕	蔵	孫	店	毎	生	毎	冷	喫	食	話	茶	生	台	式	蔵
子	活	生	会	庫	生	身	毎	式	話	生	食	会	話	身	店	夕	話	独	式
毎	子	毎	孫	台	式	堂	蔵	孫	茶	食	店	活	庫	蔵	蔵	店	毎	様	子

解答 Solutions

生活 Life 4番目

姉 冗 美 昼 容 代 姉 昼 呂 床 談 代 物 姉 冗 呂 冗 昼 水 暖
物 姉 在 院 呂 姉 水 在 呂 房 妹 子 族 寝 美 美 姉 館 院 親
冗 親 容 寝 冗 呂 親 容 床 妹 暖 在 院 房 美 現 動 寝 族 床
館 妹 談 物 族 物 屋 在 院 床 館 院 在 園 呂 冗 現 床 冗 房
呂 屋 親 床 呂 現 園 美 談 房 親 館 呂 暖 姉 園 物 水 容 子
園 呂 在 寝 冗 代 園 現 談 房 水 代 族 水 動 親 容 昼 親 容
屋 物 館 暖 園 屋 床 房 屋 寝 動 親 親 物 親 動 親 房 親 暖
子 族 風 美 動 子 姉 水 呂 呂 物 床 園 親 院 呂 冗 族 館 水
水 呂 在 談 屋 昼 院 談 物 冗 容 美 妹 寝 動 談 姉 暖 代 院
屋 談 床 在 屋 風 暖 動 風 風 族 屋 物 在 物 館 屋 屋 冗 美
姉 子 暖 冗 現 族 代 昼 館 冗 現 呂 妹 美 館 妹 館 動 美 容
動 暖 物 姉 子 族 呂 呂 冗 姉 動 動 呂 暖 床 暖 水 談 館 院
親 妹 動 呂 昼 動 現 風 妹 代 物 美 呂 代 美 昼 屋 暖 現 現
代 物 水 美 談 姉 子 床 動 物 美 族 寝 談 容 談 院 容 昼 妹
物 容 園 族 姉 館 子 冗 現 現 暖 院 館 親 代 房 代 寝 親 容

文化 Culture 1番目

仏 童 術 楽 画 化 国 廊 油 廊 教 国 油 音 化 絵 楽 芸 書 画
芸 音 術 宝 術 油 版 仏 芸 楽 楽 油 術 画 話 術 絵 映 書 宗
宗 画 文 音 文 音 化 国 童 童 宝 芸 油 書 宗 廊 童 国 文 画
絵 芸 仏 術 画 術 仏 楽 仏 書 教 話 教 文 仏 廊 教 仏 術 教
廊 宗 宝 文 油 油 国 話 映 絵 映 道 油 油 文 音 芸 油 廊 宝
化 化 術 版 宗 油 音 絵 映 教 話 芸 化 宗 版 童 油 道 童 楽
国 楽 話 書 芸 映 話 映 文 術 宗 絵 廊 宗 文 油 道 国 童 映
絵 文 道 話 宝 芸 国 宝 書 文 楽 絵 絵 油 術 画 画 道 国 道
国 音 版 童 道 化 童 廊 宝 芸 国 化 版 宝 話 国 仏 音 版 道
国 廊 教 宝 映 国 芸 仏 宗 楽 文 教 童 映 絵 宗 宗 音 音 道
術 楽 道 廊 術 国 版 画 仏 映 宝 教 童 絵 文 宝 楽 道 教 童
書 版 話 文 宗 童 油 文 画 術 文 宝 文 画 芸 書 芸 国 楽 道
映 映 教 絵 絵 仏 童 道 道 音 廊 道 画 仏 音 宝 廊 文 話 画
廊 廊 芸 映 廊 術 道 仏 廊 話 宗 術 音 油 仏 廊 教 映 楽 画
国 教 映 宝 楽 油 映 化 音 絵 術 音 宝 書 化 油 宝 話 楽 廊

文化 Culture 2番目

博 音 彫 彫 美 美 映 画 説 会 祭 美 会 説 演 映 映 本 映 博
美 術 場 画 美 文 日 会 館 舞 音 場 画 楽 彫 館 博 音 刻 刻
刻 場 演 物 場 文 小 日 刻 刻 祭 台 会 日 音 物 伎 祭 本 美
彫 文 小 祭 会 映 物 博 本 術 刻 小 日 文 劇 博 舞 映 舞 本
物 台 演 祭 博 刻 本 音 伎 会 伎 本 文 映 会 映 歌 美 刻 小
伎 舞 画 彫 伎 説 劇 文 伎 説 歌 日 演 場 美 劇 祭 刻 音 音
美 映 舞 場 画 文 劇 美 祭 博 彫 文 台 画 祭 舞 劇 舞 歌 本
音 劇 映 会 館 説 祭 日 映 舞 物 日 術 演 本 文 館 音 劇 文
台 館 画 館 画 劇 場 説 物 楽 場 刻 伎 演 日 劇 映 歌 博 伎
劇 画 刻 本 祭 館 日 歌 美 本 説 本 説 舞 音 祭 文 美 会 楽
本 伎 歌 本 物 会 舞 演 物 小 映 日 祭 日 祭 本 歌 刻 博 小
映 劇 舞 舞 小 楽 劇 伎 楽 彫 博 劇 日 日 術 彫 舞 術 楽 会
文 伎 祭 伎 館 伎 刻 日 伎 本 彫 映 本 小 歌 映 舞 文 彫 会
博 彫 伎 場 祭 文 台 音 映 説 会 画 祭 物 会 舞 文 美 台 日
術 祭 日 日 画 音 術 館 美 楽 舞 場 会 術 物 映 映 演 歌 演

文化 Culture 3番目

場 合 劇 神 神 壁 明 立 文 民 董 文 像 華 国 仏 室 合 劇 華
芸 画 団 唱 室 董 場 団 劇 民 唱 立 合 立 像 場 仏 骨 神 民
団 仏 骨 団 明 立 楽 神 立 神 仏 仏 和 劇 立 場 道 国 室 神
仏 和 合 仏 神 神 文 骨 明 場 神 劇 画 場 骨 立 合 壁 芸 舞
和 劇 道 文 華 像 神 踊 楽 像 芸 骨 神 場 場 立 像 室 華 和
明 骨 劇 場 舞 団 立 室 像 明 国 団 神 華 神 文 唱 合 芸 合
仏 芸 国 神 華 仏 神 董 像 国 仏 立 国 文 骨 劇 道 室 文 踊
董 文 壁 明 民 仏 明 舞 立 民 立 骨 唱 文 劇 和 唱 壁 華 唱
民 舞 立 像 壁 場 和 劇 和 室 唱 室 仏 骨 和 画 民 画 文 董
和 画 像 壁 董 和 場 董 団 国 団 董 仏 華 仏 骨 華 像 国 画
董 芸 踊 立 踊 董 舞 骨 明 神 文 画 華 踊 場 壁 合 華 芸 団
国 踊 骨 道 楽 踊 像 楽 楽 骨 道 唱 文 明 像 和 芸 踊 華 立
画 踊 芸 和 場 明 骨 踊 立 劇 画 民 神 画 国 唱 像 道 国 像
楽 董 民 立 合 芸 合 芸 場 室 骨 劇 神 芸 像 文 踊 明 立 唱
道 唱 壁 華 画 董 劇 芸 仏 芸 明 団 神 像 骨 画 画 董 楽 室

文化 Culture 4番目

見 道 跡 茶 術 楽 映 民 館 跡 伝 跡 客 術 遺 芸 作 茶 芸 遺
作 映 月 管 統 客 茶 家 家 映 民 映 民 曲 響 楽 道 跡 作 芸
管 民 曲 交 映 統 観 交 月 管 茶 伝 楽 術 家 遺 画 跡 観 跡
弦 楽 交 統 統 響 交 月 民 館 響 遺 術 民 映 謡 術 弦 道 術
楽 家 茶 交 道 響 交 客 道 画 伝 画 道 曲 画 茶 響 道 客 遺
管 楽 月 遺 楽 映 画 館 伝 跡 館 月 客 謡 術 跡 作 遺 見 道
客 道 楽 観 観 術 伝 館 観 跡 管 映 統 曲 観 謡 楽 観 響 家
芸 統 芸 画 管 弦 術 館 道 観 跡 見 客 月 楽 曲 遺 月 謡 作
客 響 作 術 観 統 観 曲 月 民 画 民 民 楽 弦 画 道 見 作 観
画 芸 響 統 管 芸 楽 響 画 謡 茶 伝 弦 家 芸 遺 映 館 民 作
術 曲 作 術 茶 術 観 伝 遺 画 跡 観 統 楽 謡 術 楽 響 作 管
月 統 映 客 民 芸 道 響 作 芸 芸 統 術 画 伝 画 茶 響 民 作
謡 芸 遺 茶 管 画 遺 跡 芸 楽 家 交 映 見 遺 楽 映 響 見 跡
家 伝 映 弦 月 術 芸 画 芸 跡 道 画 見 茶 交 統 月 道 館 伝
観 茶 客 謡 画 楽 観 月 管 作 術 遺 交 客 月 芸 術 家 芸 管

文化 Culture 5番目

館 信 芸 館 仰 陶 信 演 代 能 史 品 画 浮 想 思 作 想 仰 美
想 術 墳 作 想 洋 古 演 洋 史 浮 芸 奏 墳 絵 芸 奏 画 絵 奏
史 演 思 世 芸 史 奏 洋 演 演 陶 墳 絵 世 史 館 芸 史 史 墳
館 絵 思 信 想 作 代 洋 絵 品 代 絵 仰 陶 史 奏 洋 品 能 想
美 演 演 古 仰 術 術 作 奏 術 墳 品 作 墳 史 能 品 古 館 芸
術 演 古 想 奏 画 代 思 陶 世 絵 絵 陶 絵 浮 史 代 芸 史 品
洋 代 能 術 陶 館 古 品 史 奏 史 能 思 浮 世 史 史 信 演 陶
能 作 史 世 仰 浮 術 陶 史 洋 能 陶 古 古 演 美 画 想 浮 品
美 古 仰 館 奏 古 世 墳 仰 古 世 史 仰 浮 浮 品 画 代 芸 想
世 術 浮 仰 古 想 美 絵 術 浮 思 仰 演 浮 想 陶 想 品 洋 術
洋 洋 絵 奏 洋 浮 術 陶 品 信 能 陶 画 画 浮 演 館 仰 芸 術
術 演 世 洋 信 墳 奏 画 美 墳 画 術 古 奏 術 画 想 術 画 作
陶 想 術 浮 術 作 史 墳 浮 能 古 想 芸 代 思 奏 芸 奏 美 館
能 絵 作 能 思 画 浮 奏 画 陶 美 洋 仰 古 絵 品 古 芸 史 世
代 思 代 絵 浮 演 思 術 洋 古 史 館 演 品 浮 美 洋 史 演 絵

解答 Solutions

文化 Culture 6番目

化	社	食	日	財	教	食	文	見	賀	財	服	見	語	文	服	詣	祝	年	語
花	物	地	見	化	語	年	教	物	賀	布	詣	祝	初	服	団	財	会	団	見
教	日	日	団	文	文	状	教	詣	賀	神	語	賀	食	地	賀	日	祝	年	文
物	財	会	状	団	教	社	物	年	教	花	見	日	団	年	服	見	団	食	財
見	年	社	団	見	状	服	布	見	地	化	状	日	賀	教	文	詣	日	会	日
神	年	洋	社	日	物	教	見	布	地	祝	賀	初	文	状	会	文	花	財	状
物	祝	賀	語	地	初	地	社	詣	詣	神	会	祝	洋	服	語	食	化	初	財
語	服	財	状	語	花	教	服	服	詣	見	布	祝	状	花	祝	花	服	墓	団
花	文	食	初	社	化	年	財	会	祝	文	化	詣	語	布	服	年	教	教	文
初	洋	年	化	神	洋	神	神	食	墓	団	食	見	文	文	初	初	花	地	花
財	文	物	墓	賀	文	地	見	語	祝	化	文	食	社	物	賀	状	文	化	神
地	状	文	服	花	墓	会	神	会	食	服	化	会	化	詣	布	団	語	花	会
物	会	花	社	文	財	日	文	財	服	詣	布	社	詣	年	状	見	祝	花	花
墓	服	団	日	財	花	墓	教	服	社	墓	教	祝	布	状	詣	会	詣	化	文
日	物	賀	洋	化	神	年	食	初	賀	団	初	墓	神	詣	文	化	団	初	状

文化 Culture 7番目

化	習	将	碁	文	慣	流	文	化	像	人	習	流	悼	写	流	式	習	気	日
文	雀	気	葬	文	化	化	雀	日	日	道	将	現	交	気	式	写	慣	写	化
日	文	人	碁	慣	碁	写	真	現	人	囲	写	慣	像	麻	碁	交	流	追	文
式	交	碁	真	悼	文	将	将	麻	現	文	交	麻	交	悼	交	人	剣	習	棋
化	麻	道	現	現	剣	交	剣	日	慣	碁	現	追	将	慣	式	悼	写	麻	日
写	像	気	化	日	習	人	悼	棋	剣	追	交	囲	現	祭	剣	像	慣	人	剣
碁	習	囲	棋	化	道	式	悼	雀	習	真	習	将	化	雀	文	気	文	式	日
囲	悼	棋	気	悼	交	人	将	祭	悼	囲	気	道	気	化	棋	祭	葬	雀	式
道	写	将	交	交	囲	道	交	化	道	道	文	日	追	写	人	葬	祭	将	雀
剣	悼	気	道	交	化	雀	流	交	化	文	習	人	剣	麻	人	棋	流	囲	追
流	雀	将	気	習	像	日	気	交	交	化	人	習	文	式	交	雀	真	像	将
写	現	化	交	日	雀	祭	現	写	剣	交	碁	日	像	剣	人	剣	気	麻	悼
囲	慣	葬	日	追	習	習	現	追	追	将	人	人	流	交	真	悼	囲	葬	道
真	剣	像	人	習	追	気	碁	雀	葬	習	碁	祭	囲	葬	習	流	写	雀	将
文	碁	祭	麻	悼	将	像	文	真	道	真	交	化	剣	雀	麻	気	雀	悼	写

文化 Culture 8番目

娯	水	技	像	演	言	技	画	邦	出	技	歌	画	邦	士	水	家	像	家	邦
彫	彫	出	家	像	邦	彫	道	道	道	道	士	像	山	出	手	邦	手	演	水
家	邦	気	俳	演	道	水	気	水	人	山	娯	武	狂	画	娯	山	家	輪	演
彫	俳	技	邦	楽	狂	出	手	俳	出	歌	演	武	水	家	気	武	士	邦	像
水	輪	像	歌	武	士	道	水	気	邦	家	俳	像	技	狂	士	輪	優	邦	輪
家	俳	技	言	画	画	画	楽	優	山	家	手	道	家	家	気	娯	輪	山	邦
気	像	娯	像	画	道	歌	優	手	狂	手	家	気	彫	輪	士	手	家	輪	彫
優	技	士	気	山	輪	邦	山	水	画	気	輪	優	手	俳	道	技	演	演	武
輪	士	道	言	歌	邦	優	彫	楽	気	演	言	優	出	楽	歌	邦	娯	彫	道
手	言	水	水	娯	画	水	像	楽	優	気	言	武	壇	画	娯	武	演	彫	彫
気	家	像	歌	演	画	山	壇	画	歌	気	邦	彫	狂	画	輪	人	出	家	彫
像	水	優	武	手	娯	俳	彫	言	優	狂	優	水	画	俳	歌	山	気	楽	技
気	俳	輪	像	像	手	娯	邦	狂	技	道	輪	狂	出	水	山	邦	像	歌	画
画	邦	言	演	俳	輪	家	道	像	歌	気	山	輪	壇	娯	道	邦	像	出	手
気	人	彫	言	水	水	楽	出	娯	俳	彫	優	演	山	武	言	言	道	画	娯

祝日 Holidays

勤	憲	敬	国	ど	人	文	建	人	元	勤	老	謝	海	文	文	日	化	海	念
労	敬	誕	体	元	人	文	体	天	憲	建	国	記	念	の	日	子	の	体	子
勤	供	皇	憲	文	文	誕	老	日	敬	法	文	化	の	日	念	謝	文	供	元
建	勤	誕	子	皇	日	建	海	化	老	み	ど	日	化	老	文	元	皇	生	子
謝	日	の	老	敬	元	育	元	記	体	謝	の	育	労	り	念	天	念	敬	憲
念	体	子	ど	文	国	ど	育	ど	子	育	建	り	ど	皇	老	法	成	勤	日
法	み	育	日	子	人	感	記	憲	体	生	み	ど	老	海	の	日	誕	ど	謝
勤	子	法	の	成	感	り	化	勤	法	国	ど	育	子	海	文	老	文	勤	法
化	化	憲	謝	老	老	ど	憲	り	建	謝	り	供	子	老	念	念	感	文	感
皇	の	労	感	海	勤	記	勤	海	国	老	の	老	育	育	憲	謝	子	供	感
老	体	皇	労	念	文	勤	子	記	日	誕	日	念	国	記	成	法	海	化	謝
り	育	法	勤	み	生	労	憲	老	の	の	供	み	国	供	建	老	記	人	謝
体	育	日	子	体	敬	文	生	勤	文	り	人	皇	感	勤	憲	供	み	念	文
憲	記	体	勤	み	育	化	労	皇	老	元	敬	成	人	ど	記	誕	人	謝	日
国	勤	感	勤	建	化	供	海	感	敬	国	記	の	子	育	日	生	誕	皇	天

スポーツ Sports 1番目

負	力	泳	士	道	団	空	道	球	士	力	相	技	競	空	卓	空	士	馬	手
道	道	勝	馬	道	力	乗	負	決	水	手	力	乗	負	柔	馬	空	相	道	水
競	泳	勝	技	撲	力	柔	手	撲	卓	柔	柔	球	柔	団	卓	球	士	撲	道
技	柔	卓	団	決	負	力	技	泳	空	競	球	空	馬	撲	馬	負	競	団	決
競	力	空	空	技	決	撲	卓	勝	球	負	道	相	泳	士	空	卓	決	競	力
技	相	柔	泳	負	水	決	卓	乗	泳	道	球	道	空	球	負	力	技	競	道
乗	負	士	団	柔	負	撲	泳	馬	泳	勝	道	手	乗	力	負	競	水	力	相
力	手	勝	競	乗	士	決	泳	馬	馬	卓	撲	競	技	卓	道	撲	力	団	力
泳	勝	技	相	柔	相	乗	相	相	泳	空	技	士	決	泳	力	手	撲	決	卓
相	泳	団	相	馬	卓	空	柔	力	力	力	卓	柔	馬	卓	決	卓	決	馬	負
相	士	決	球	決	技	相	勝	競	撲	泳	力	馬	士	撲	馬	手	馬	柔	力
空	馬	水	水	手	泳	柔	相	技	団	水	球	技	負	技	手	道	馬	空	負
水	決	決	乗	団	力	乗	力	柔	負	馬	空	馬	団	力	競	柔	競	士	道
力	柔	団	力	勝	手	競	泳	柔	馬	空	水	団	水	水	技	士	決	道	技
技	水	空	空	力	泳	勝	球	撲	泳	球	道	手	撲	負	競	水	勝	力	馬

スポーツ Sports 2番目

野	会	選	練	動	俵	育	試	野	習	手	育	俵	球	体	試	場	体	館	土
育	運	場	動	館	大	動	会	分	動	操	会	勝	選	動	手	場	け	分	運
俵	大	習	場	分	き	手	球	会	土	館	合	引	会	大	操	引	合	引	野
手	練	試	分	操	館	育	体	動	勝	運	野	俵	優	操	合	引	球	合	大
操	け	大	動	会	習	大	野	習	動	球	体	手	習	習	動	引	き	習	優
選	け	け	合	動	育	引	手	大	育	習	操	習	試	野	引	勝	選	優	合
野	選	育	大	野	試	大	試	合	勝	育	習	分	習	選	き	球	体	会	勝
け	試	動	手	俵	試	練	運	手	引	館	館	球	俵	野	分	合	館	合	け
俵	試	野	練	選	動	土	育	野	動	場	会	練	合	引	け	会	野	け	館
館	選	俵	試	場	引	育	手	引	け	館	引	育	球	分	引	き	野	館	土
試	け	練	け	体	育	野	運	け	分	合	場	体	き	分	引	練	会	試	試
き	け	け	手	大	館	場	野	体	大	俵	野	選	引	操	き	手	け	勝	大
き	球	け	分	場	野	育	合	合	習	試	選	運	球	試	育	運	手	勝	練
大	優	会	合	選	土	手	育	会	会	け	習	合	優	場	優	育	手	俵	球
引	習	俵	土	球	分	球	手	会	会	試	会	運	練	引	動	習	大	け	球

単語 Vocabulary

営業（えいぎょう） Business

口座	こうざ	account
広告	こうこく	advertisement
広告費	こうこくひ	advertising costs
代理店	だいりてん	agency
監査	かんさ	audit
監査役	かんさやく	auditor
平均	へいきん	average
貸借対照表	たいしゃくたいしょうひょう	balance sheet
通帳	つうちょう	bank book
銀行預金	ぎんこうよきん	bank deposit
銀行券	ぎんこうけん	bank note
基本給	きほんきゅう	base pay
入札	にゅうさつ	bidding
請求書	せいきゅうしょ	bill
手形	てがた	bill
取締役会	とりしまりやくかい	board of directors
頭脳流出	ずのうりゅうしゅつ	brain drain
出張所	しゅっちょうじょ	branch office
景気予測	けいきよそく	business forecasting
営業報告書	えいぎょうほうこくしょ	business report
経営戦略	けいえいせんりゃく	business strategy
出張	しゅっちょう	business trip
資本主義	しほんしゅぎ	capitalism
現金割引	げんきんわりびき	cash discount
資金繰り	しきんぐり	cash flow
秘書	ひしょ	clerical secretary
事務	じむ	clerical work
得意先	とくいさき	client
顧客	こきゃく	client
商業銀行	しょうぎょうぎんこう	commercial bank

委員会	いいんかい	committee
物品税	ぶっぴんぜい	commodity tax
普通株	ふつうかぶ	common stock
社長	しゃちょう	company president
副社長	ふくしゃちょう	company vice-president
競争	きょうそう	competition
財閥	ざいばつ	conglomerate
消費者	しょうひしゃ	consumer
消費税	しょうひぜい	consumption tax
関税	かんぜい	customs duty
取引き	とりひき	deal
負債	ふさい	debt
納期	のうき	delivery time
需要	じゅよう	demand
百貨店	ひゃっかてん	department store
減価償却	げんかしょうきゃく	depreciation
開発	かいはつ	development
割引き	わりびき	discount
安売り店	やすうりてん	discount store
分配	ぶんぱい	distribution
流通業者	りゅうつうぎょうしゃ	distributor
書類	しょるい	documents
効率	こうりつ	efficiency
裏書	うらがき	endorsement
装置	そうち	equipment
見積り	みつもり	estimate, quote
過当競争	かとうきょうそう	excessive competition
料金	りょうきん	fee
会計年度	かいけいねんど	fiscal year
外国製品	がいこくせいひん	foreign products
部長	ぶちょう	general manager
目標	もくひょう	goal
荒利	あらり	gross profit
持株会社	もちかぶがいしゃ	holding company
人間工学	にんげんこうがく	human engineering

所得税	しょとくぜい	income tax
保険	ほけん	insurance
面接	めんせつ	interview
投資計画	とうしけいかく	investment plan
職務記述書	しょくむきじゅつしょ	job description
職務評価	しょくむひょうか	job evaluation
入社	にゅうしゃ	joining a company
株式会社	かぶしきがいしゃ	joint-stock corporation
大企業	だいきぎょう	large company
信用状	しんようじょう	letter of credit
表示価格	ひょうじかかく	list price
本店	ほんてん	main shop, this shop
大手	おおて	major company
経営	けいえい	management
市場価格	しじょうかかく	market price
販売戦略	はんばいせんりゃく	marketing strategy
為替	かわせ	money order
名刺	めいし	name card
純益	じゅんえき	net income
純資産	じゅんしさん	net worth
新製品	しんせいひん	new product
注文	ちゅうもん	order
発注量	はっちゅうりょう	order quantity
品切れ	しなぎれ	out of stock
支払い	しはらい	payment
製造原価	せいぞうげんか	production cost
割合	わりあい	proportion
購買力	こうばいりょく	purchase power
領収書	りょうしゅうしょ	receipt
受付	うけつけ	receptionist
企業年金	きぎょうねんきん	retirement annuity
売上げ	うりあげ	sales
販売予測	はんばいよそく	sales forecast
貯蓄	ちょちく	savings
課長	かちょう	section chief

運送費　うんそうひ　shipping cost
専門品　せんもんひん　specialty goods
投機　とうき　speculation
基準　きじゅん　standard, basis
安定成長　あんていせいちょう　steady growth
下請企業　したうけきぎょう　subcontractor
子会社　こがいしゃ　subsidiary company
急騰　きゅうとう　sudden rise
供給　きょうきゅう　supply
調査　ちょうさ　survey
目標価格　もくひょうかかく　target price
税金　ぜいきん　tax
課税　かぜい　taxation
頭脳集団　ずのうしゅうだん　think tank
総額　そうがく　total amount
貿易収支　ぼうえきしゅうし　trade balance
商標　しょうひょう　trademark
失業者　しつぎょうしゃ　unemployed person
問屋　とんや　wholesaler
販売意欲　はんばいいよく　willingness to sell

けいざい
経済 Economics

会計　かいけい　accounting
資産　しさん　assets
倒産　とうさん　bankruptcy
底値　そこね　bottom price
支社　ししゃ　branch office
予算　よさん　budget
営業　えいぎょう　business
買収　ばいしゅう　buy up, purchase, bribe
買手市場　かいてしじょう　buyers' market
資本　しほん　capital
現金　げんきん　cash
小切手　こぎって　check

都市銀行	としぎんこう	city bank
終値	おわりね	closing price
商業	しょうぎょう	commerce, trade
商品	しょうひん	commodities
消費者行動	しょうひしゃこうどう	consumer behavior
消費	しょうひ	consumption
生活費	せいかつひ	cost of living
通貨	つうか	currency
業者	ぎょうしゃ	dealer
納入	のうにゅう	delivery of goods
預金	よきん	deposit
流通	りゅうつう	distribution
内需	ないじゅ	domestic demand
経済成長	けいざいせいちょう	economic growth
市場	いちば	economic market
景気沈滞	けいきちんたい	economic recession
景気回復	けいきかいふく	economic recovery
経済動向	けいざいどうこう	economic trend
経済	けいざい	economics
事業	じぎょう	enterprise
為替相場	かわせそうば	exchange rate
支出	ししゅつ	expenditures
経費	けいひ	expense
費用	ひよう	expense
輸出	ゆしゅつ	export
輸出市場	ゆしゅつしじょう	export market
代金	だいきん	fee
財政	ざいせい	finance
財源	ざいげん	financial resources
融資	ゆうし	financing
外資	がいし	foreign capital
外貨	がいか	foreign currency
外国為替	がいこくかわせ	foreign exchange
貿易	ぼうえき	foreign trade
資金	しきん	funds

本社	ほんしゃ	head office
高値	たかね	high price
円高	えんだか	high yen exchange rate
輸入	ゆにゅう	import
黒字	くろじ	in the black, surplus
赤字	あかじ	in the red, deficit
所得	しょとく	income
収入	しゅうにゅう	income
収支	しゅうし	income and expenditure
金利	きんり	interest
利子	りし	interest
国際通貨	こくさいつうか	international currency
投資	とうし	investment
投資家	とうしか	investor
安値	やすね	low price
円安	えんやす	low yen exchange rate
管理	かんり	management
原価	げんか	manufacturing cost
景気	けいき	market conditions
景気変動	けいきへんどう	market fluctuations
金融	きんゆう	monetary circulation
貨幣	かへい	money
価格	かかく	price
物価	ぶっか	price of common goods
利潤	りじゅん	profit
収益	しゅうえき	profit
財産	ざいさん	property
繁栄	はんえい	prosperity
不動産	ふどうさん	real estate
不景気	ふけいき	recession
統制	とうせい	regulation
制限	せいげん	restriction
小売	こうり	retail
出納	すいとう	revenue and expenditure
販売	はんばい	sale, selling

貯金	ちょきん	savings
売手市場	うりてしじょう	sellers' market
出荷	しゅっか	shipping
株式	かぶしき	stock
証券取引	しょうけんとりひき	stock exchange
株価	かぶか	stock prices
株主	かぶぬし	stockholder
金額	きんがく	sum of money
通商	つうしょう	trade and commerce
貿易赤字	ぼうえきあかじ	trade deficit
貿易黒字	ぼうえきくろじ	trade surplus
商社	しょうしゃ	trading company
卸売	おろしうり	wholesale
利回り	りまわり	yield

せいじ
政治 Politics

民主党	みんしゅとう	Democratic Party
議員	ぎいん	Diet member
国会議員	こっかいぎいん	Diet member
高等裁判所	こうとうさいばんしょ	High Court
参議院	さんぎいん	House of Councillors
衆議院	しゅうぎいん	House of Representatives
無所属	むしょぞく	Independent
日本共産党	にほんきょうさんとう	Japan Communist Party
自由民主党	じゆうみんしゅとう	Liberal-Democratic Party
自民党	じみんとう	Liberal-Democratic Party
農林水産省	のうりんすいさんしょう	Ministry of Agriculture, Forestry, and Fisheries
建設省	けんせつしょう	Ministry of Construction
文部省	もんぶしょう	Ministry of Education
大蔵省	おおくらしょう	Ministry of Finance
外務省	がいむしょう	Ministry of Foreign Affairs
厚生省	こうせいしょう	Ministry of Health and Welfare
自治省	じちしょう	Ministry of Home Affairs

通商産業省	つうしょうさんぎょうしょう	Ministry of International Trade and Industry
法務省	ほうむしょう	Ministry of Justice
労働省	ろうどうしょう	Ministry of Labor
郵政省	ゆうせいしょう	Ministry of Posts and Telecommunications
運輸省	うんゆしょう	Ministry of Transport
新進党	しんしんとう	New Frontier Party
新党さきがけ	しんとうさきがけ	New Party Sakigake
代議士	だいぎし	Representative
社会民主党	しゃかいみんしゅとう	Social Democratic Party
社民党	しゃみんとう	Social Democratic Party
最高裁判所	さいこうさいばんしょ	Supreme Court
棄権	きけん	abstain from voting
行政	ぎょうせい	administration
行政権	ぎょうせいけん	administrative power
修正	しゅうせい	amendment
反主流派	はんしゅりゅうは	anti-mainstream faction
賛成	さんせい	approval
開票	かいひょう	ballot counting
採決	さいけつ	ballot taking
官僚	かんりょう	bureaucrat
内閣	ないかく	cabinet
閣議	かくぎ	cabinet meeting
閣僚	かくりょう	cabinet member
大臣	だいじん	cabinet minister
応援演説	おうえんえんぜつ	campaign speech
立候補	りっこうほ	candidacy
候補	こうほ	candidate
議長	ぎちょう	chairman
市民	しみん	citizen
市役所	しやくしょ	city office
閉会	へいかい	closing session
共産主義	きょうさんしゅぎ	communism
保守	ほしゅ	conservative
地盤	じばん	constituency

憲法	けんぽう	constitution
補正	ほせい	correction
勧告	かんこく	counsel
宣言	せんげん	declaration
民主主義	みんしゅしゅぎ	democracy
専制政治	せんせいせいじ	despotism
独裁政権	どくさいせいけん	dictatorship
選挙	せんきょ	election
派閥	はばつ	faction
連邦	れんぽう	federal state
封建制度	ほうけんせいど	feudalism
補欠	ほけつ	filling a vacancy, substitution
組閣	そかく	forming a cabinet
政府	せいふ	government
官庁	かんちょう	government office
政令	せいれい	government ordinance
長官	ちょうかん	government secretary
知事	ちじ	governor
区長	くちょう	head of ward
司法権	しほうけん	judicial power
法規	ほうき	laws and regulations
左派	さは	left wing
立法	りっぽう	legislation
法案	ほうあん	legislative bill
議案	ぎあん	legislative bill
立法権	りっぽうけん	legislative power
落選	らくせん	losing an election
主流派	しゅりゅうは	mainstream faction
市長	しちょう	mayor
君主制	くんしゅせい	monarchism
国民	こくみん	nation
指名	しめい	nominate
開会	かいかい	opening session
野党	やとう	opposition party
公約	こうやく	pact

議会	ぎかい	parliament
陳情	ちんじょう	petition, appeal
政策	せいさく	policy
政策協定	せいさくぎょうてい	policy agreement
政界	せいかい	political circles
政治資金	せいじしきん	political funds
政党	せいとう	political party
党主	とうしゅ	political party leader
政権	せいけん	political power
政局	せいきょく	political situation
政治	せいじ	politics
県庁	けんちょう	prefectural office
上程	じょうてい	presenting a bill
大統領	だいとうりょう	president
首相	しゅしょう	prime minister
役所	やくしょ	public government office
質疑応答	しつぎおうとう	questions and answers
休会	きゅうかい	recess
革新	かくしん	reform, radical
否決	ひけつ	rejection
共和制	きょうわせい	republicanism
更迭	こうてつ	reshuffle, dismiss
辞任	じにん	resignation
決議	けつぎ	resolution
改正	かいせい	revision
右派	うは	right wing
与党	よとう	ruling party
自治	じち	self-government
三権分立	さんけんぶりつ	separation of powers
会期	かいき	session
社会主義	しゃかいしゅぎ	socialism
演説	えんぜつ	speech
国家	こっか	state
国務	こくむ	state affairs
国有	こくゆう	state ownership

主権	しゅけん	supremacy
就任	しゅうにん	take office
国会	こっかい	the Diet
議席	ぎせき	the floor
三権	さんけん	three powers (of government)
次官	じかん	vice-minister
違反	いはん	violation
有権者	ゆうけんしゃ	voter
投票	とうひょう	voting
区役所	くやくしょ	ward office
当選	とうせん	winning an election

外交(がいこう) Diplomacy

東西緊張	とうざいきんちょう	East-West tensions
南北問題	なんぼくもんだい	North-South divide
欧州連合	おうしゅうれんごう	The European Union
第三世界	だいさんせかい	Third World
西側諸国	にしがわしょこく	Western countries
世界大戦	せかいたいせん	World War
協定	きょうてい	agreement
援助	えんじょ	aid
同盟	どうめい	alliance
大使	たいし	ambassador
追放	ついほう	banishment, deportation
国境	こっきょう	border
国境紛争	こっきょうふんそう	border dispute
両国	りょうこく	both countries
代理大使	だいりたいし	chargé d'affaires
通商条約	つうしょうじょうやく	commerce treaty
妥協	だきょう	compromise
締結	ていけつ	conclusion of a treaty
機密情報	きみつじょうほう	confidential information
領事館	りょうじかん	consulate
債権国	さいけんこく	creditor nation

債務国	さいむこく	debtor nation
外交	がいこう	diplomacy
外交折衝	がいこうせっしょう	diplomatic negotiations
外交官	がいこうかん	diplomatic officials
国交	こっこう	diplomatic relations
交流	こうりゅう	exchange
連邦政府	れんぽうせいふ	federal government
友好国	ゆうこうこく	friendly nations
親善	しんぜん	friendship
友好関係	ゆうこうかんけい	friendship
首脳	しゅのう	heads of government
不法入国	ふほうにゅうこく	illegal entry
独立	どくりつ	independence
独立国	どくりつこく	independent country
内政干渉	ないせいかんしょう	interference in domestic affairs
国際	こくさい	international
国際協力	こくさいきょうりょく	international cooperation
国際交流	こくさいこうりゅう	international exchange
国際関係	こくさいかんけい	international relations
国際情勢	こくさいじょうせい	international situation
加盟	かめい	joining an alliance
共同発表	きょうどうはっぴょう	joint statement
共同声明	きょうどうせいめい	joint statement
交渉	こうしょう	negotiation
折衝	せっしょう	negotiation
中立	ちゅうりつ	neutrality
公邸	こうてい	official residence
公式訪問	こうしきほうもん	official visit
海外援助	かいがいえんじょ	overseas aid
平和条約	へいわじょうやく	peace treaty
講和	こうわ	peace, reconciliation
新聞発表	しんぶんはっぴょう	press guidance
制裁措置	せいさいそち	punitive measures
国交回復	こっこうかいふく	rapprochement
批准	ひじゅん	ratification

互恵	ごけい	reciprocity
難民	なんみん	refugee
拒否	きょひ	refusal
賠償	ばいしょう	reparations
代表	だいひょう	representative
安全保障	あんぜんほしょう	security
調印	ちょういん	signing a treaty
国賓	こくひん	state guest
公賓	こうひん	state guest
首脳会談	しゅのうかいだん	summit talk
領土	りょうど	territory
条約	じょうやく	treaty
連合	れんごう	union
諸国	しょこく	various countries
拒否権	きょひけん	veto
査証	さしょう	visa

軍事(ぐんじ) Military

部隊	ぶたい	a military unit
空軍	くうぐん	air force
航空母艦	こうくうぼかん	aircraft carrier
軍備	ぐんび	armament
武装	ぶそう	armaments
軍隊	ぐんたい	armed forces
休戦	きゅうせん	armistice
軍備拡大	ぐんびかくだい	arms buildup
軍備縮小	ぐんびしゅくしょう	arms reduction
陸軍	りくぐん	army
原水爆	げんすいばく	atomic hydrogen bomb
攻撃	こうげき	attack
基地	きち	base
生物兵器	せいぶつへいき	biological weapon
封鎖	ふうさ	blockade
爆弾	ばくだん	bomb

爆撃	ばくげき	bombing
化学兵器	かがくへいき	chemical weapon
内戦	ないせん	civil war
紛争	ふんそう	conflict
巡洋艦	じゅんようかん	cruiser
防衛	ぼうえい	defense
防御	ぼうぎょ	defense
配備	はいび	deployment
徴兵	ちょうへい	draft
爆発	ばくはつ	explosion
戦闘機	せんとうき	fighter aircraft
将軍	しょうぐん	general
侵犯	しんぱん	invasion
侵略	しんりゃく	invasion
軍事	ぐんじ	military affairs
国防	こくぼう	national defense
国益	こくえき	national interest
海軍	かいぐん	navy
抑止力	よくしりょく	nuclear deterrent
核軍縮	かくぐんしゅく	nuclear disarmament
核拡散	かくかくさん	nuclear proliferation
核戦争	かくせんそう	nuclear war
核兵器	かくへいき	nuclear weapon
占領	せんりょう	occupation
将校	しょうこう	officer
作戦	さくせん	operation
捕虜	ほりょ	prisoner of war
地域紛争	ちいきふんそう	regional dispute
兵役	へいえき	service
墜撃	ついげき	shoot down
兵隊	へいたい	soldier
戦略兵器	せんりゃくへいき	strategic weapon
戦略	せんりゃく	strategy
潜水艦	せんすいかん	submarine
戦車	せんしゃ	tank

緊張	きんちょう	tension
領空	りょうくう	territorial air space
領海	りょうかい	territorial sea
訓練	くんれん	training
武力行使	ぶりょくこうし	use of military force
戦争	せんそう	war
戦争賠償	せんそうばいしょう	war reparation
軍艦	ぐんかん	warship
兵器	へいき	weapon

せいぎ
正義 Justice

警視庁	けいしちょう	Metropolitan Police Department
警察庁	けいさつちょう	National Police Agency
司法	しほう	administration of justice
弁護	べんご	advocacy, defense
検挙	けんきょ	arrest
逮捕	たいほ	arrest, capture
暗殺	あんさつ	assassination
殺人未遂	さつじんみすい	attempted murder
検視	けんし	autopsy
保釈	ほしゃく	bail
賄賂	わいろ	bribe
窃盗	せっとう	burglar
追跡	ついせき	chase, track down
民法	みんぽう	civil law
糸口	いとぐち	clue
自供	じきょう	confession
押収	おうしゅう	confiscation
没収	ぼっしゅう	confiscation, seizure
汚職	おしょく	corruption, bribery
法廷	ほうてい	court of law
犯行	はんこう	crime
犯人	はんにん	criminal
刑法	けいほう	criminal law

犯罪	はんざい	criminal offense
拘留	こうりゅう	custody
死刑	しけい	death penalty
被告	ひこく	defendant
探偵	たんてい	detective
拘置所	こうちしょ	detention facility
逃走	とうそう	escape
証拠	しょうこ	evidence, proof
摘発	てきはつ	exposing, unmasking
罰金	ばっきん	fine, penalty
指紋	しもん	fingerprints
詐欺	さぎ	fraud
暴力団	ぼうりょくだん	gang
有罪	ゆうざい	guilty
人質	ひとじち	hostage
人権	じんけん	human rights
麻薬	まやく	illegal drugs
監禁	かんきん	imprisonment
傷害	しょうがい	injury
不正	ふせい	injustice
尋問	じんもん	interrogation
判事	はんじ	judge
陪審	ばいしん	jury
正義	せいぎ	justice
誘拐	ゆうかい	kidnapping
訴訟事件	そしょうじけん	law case
訴訟	そしょう	lawsuit
殺人	さつじん	murder
殺人犯	さつじんはん	murderer
無罪	むざい	not guilty
組織犯罪	そしきはんざい	organized crime
恩赦	おんしゃ	pardon
原告	げんこく	plaintiff
交番	こうばん	police box
警部	けいぶ	police inspector

警官	けいかん	police officer
巡査	じゅんさ	police officer
警察	けいさつ	police station
警察署	けいさつしょ	police station
前科	ぜんか	previous convictions
刑務所	けいむしょ	prison
起訴	きそ	prosecution, indictment
検察	けんさつ	prosecutor
公判	こうはん	public trial
身代金	みのしろきん	ransom
再審	さいしん	retrial
強盗	ごうとう	robber
判決	はんけつ	ruling
犯行現場	はんこうげんば	scene of a crime
捜査	そうさ	search
警報器	けいほうき	siren, alarm
密輸	みつゆ	smuggling
容疑	ようぎ	suspect
証言	しょうげん	testimony
脅迫	きょうはく	threat
裁判	さいばん	trial
不公平	ふこうへい	unfair, unjust
宣告	せんこく	verdict, sentence
暴力	ぼうりょく	violence
目撃者	もくげきしゃ	witness
証人	しょうにん	witness

健康(けんこう) Health

風邪	かぜ	a cold
入院	にゅういん	admitted to a hospital
老化	ろうか	aging
救急車	きゅうきゅうしゃ	ambulance
麻酔	ますい	anesthetic
人工臓器	じんこうぞうき	artificial organ

人工呼吸	じんこうこきゅう	artificial respiration
平均寿命	へいきんじゅみょう	average life span
包帯	ほうたい	bandage
出血	しゅっけつ	bleeding
血液	けつえき	blood
血液銀行	けつえきぎんこう	blood bank
献血	けんけつ	blood donation
血圧	けつあつ	blood pressure
輸血	ゆけつ	blood transfusion
血液型	けつえきがた	blood type
血管	けっかん	blood vessel
体温	たいおん	body temperature
骨折	こっせつ	bone fracture
脳死	のうし	brain death
発癌物質	はつがんぶっしつ	carcinogen
化学療法	かがくりょうほう	chemotherapy
顔色	かおいろ	complexion
便秘	べんぴ	constipation
死体	したい	corpse
歯科	しか	dentistry
皮膚科	ひふか	dermatology
診断	しんだん	diagnosis
診察	しんさつ	diagnosis and treatment
下痢	げり	diarrhea
消毒	しょうどく	disinfection
医者	いしゃ	doctor
心電図	しんでんず	electrocardiogram
伝染病	でんせんびょう	epidemic
安楽死	あんらくし	euthanasia
家庭医	かていい	family doctor
疲労	ひろう	fatigue
総合病院	そうごうびょういん	general hospital
頭痛	ずつう	headache
健康	けんこう	health
保健所	ほけんしょ	health center

健康食品	けんこうしょくひん	health food
健康保険	けんこうほけん	health insurance
心臓	しんぞう	heart
心筋梗塞	しんきんこうそく	heart attack
身長	しんちょう	height
遺伝	いでん	heredity
高血圧	こうけつあつ	high blood pressure
病院	びょういん	hospital
衛生	えいせい	hygiene
免疫	めんえき	immunity
消化不良	しょうかふりょう	indigestion
流感	りゅうかん	influenza
注射	ちゅうしゃ	injection
内科	ないか	internal medicine
腎臓	じんぞう	kidneys
退院	たいいん	leaving the hospital
白血病	はっけつびょう	leukemia
肝臓	かんぞう	liver
低血圧	ていけつあつ	low blood pressure
肺臓	はいぞう	lungs
医療施設	いりょうしせつ	medical facilities
医療	いりょう	medical service
診療	しんりょう	medical treatment
看護婦	かんごふ	nurse
看護	かんご	nursing
手術	しゅじゅつ	operation
患者	かんじゃ	patient
小児科	しょうにか	pediatrics
身体障害	しんたいしょうがい	physical handicap
理学療法士	りがくりょうほうし	physical therapist
整形外科	せいけいげか	plastic surgery
肺炎	はいえん	pneumonia
中毒	ちゅうどく	poisoning
処方	しょほう	prescription
予防	よぼう	prevention

放射線	ほうしゃせん	radiation
副作用	ふくさよう	side effect
皮膚	ひふ	skin
専門病院	せんもんびょういん	special hospital
胃腸	いちょう	stomach and intestines
外科	げか	surgery
症状	しょうじょう	symptoms
体重	たいじゅう	weight

きょういく 教育 Education

東洋史	とうようし	Asian history
日本史	にほんし	Japanese history
西洋史	せいようし	Western history
欠席	けっせき	absence
学問	がくもん	academic studies
代数学	だいすうがく	algebra
天文学	てんもんがく	astronomy
出席	しゅっせき	attendance
生物学	せいぶつがく	biology
化学	かがく	chemistry
教室	きょうしつ	classroom
学科	がっか	course
教育課程	きょういくかてい	curriculum
学位	がくい	degree
歯学	しがく	dentistry
証書	しょうしょ	diploma
経済学	けいざいがく	economics
教育	きょういく	education
電気工学	でんきこうがく	electrical engineering
小学校	しょうがっこう	elementary school
入学	にゅうがく	entering school
入学試験	にゅうがくしけん	entrance examination
試験	しけん	examination
施設	しせつ	facility

外国語	がいこくご	foreign language
地理	ちり	geography
地理学	ちりがく	geography
地質学	ちしつがく	geology
成績	せいせき	grades
採点	さいてん	grading
大学院	だいがくいん	graduate school
卒業	そつぎょう	graduation
卒業論文	そつぎょうろんぶん	graduation thesis
高等学校	こうとうがっこう	high school
歴史	れきし	history
史学	しがく	history
家庭教師	かていきょうし	home tutor
宿題	しゅくだい	homework
幼稚園	ようちえん	kindergarten
退学	たいがく	leaving school
講義	こうぎ	lecture
講堂	こうどう	lecture hall
講師	こうし	lecturer
図書館	としょかん	library
言語学	げんごがく	linguistics
文学	ぶんがく	literature
論理学	ろんりがく	logic
専攻	せんこう	major
数学	すうがく	mathematics
中学校	ちゅうがっこう	middle school
国立	こくりつ	national, state
薬学	やくがく	pharmacology
哲学	てつがく	philosophy
物理学	ぶつりがく	physics
政治学	せいじがく	political science
予備校	よびこう	preparatory school
校長	こうちょう	principal
私立	しりつ	private
教授	きょうじゅ	professor

精神病学	せいしんびょうがく	psychiatry
心理学	しんりがく	psychology
公立	こうりつ	public
参考書	さんこうしょ	reference book
研究	けんきゅう	research
学者	がくしゃ	scholar
奨学金	しょうがくきん	scholarship
学長	がくちょう	school president
学期	がっき	school term
修学旅行	しゅうがくりょこう	school trip
理科	りか	science
社会	しゃかい	social studies
社会学	しゃかいがく	sociology
生徒	せいと	student
留学	りゅうがく	studying abroad
教授細目	きょうじゅほそめ	syllabus
教員	きょういん	teacher
教員室	きょういんしつ	teachers' room
教材	きょうざい	teaching materials
教科書	きょうかしょ	textbook
論文	ろんぶん	thesis, paper
研修	けんしゅう	training
授業料	じゅぎょうりょう	tuition
学生	がくせい	university student
大学	だいがく	university, college

科学(かがく) Science

人工	じんこう	artificial
原子力	げんしりょく	atomic energy
生命工学	せいめいこうがく	biotechnology
細胞	さいぼう	cell
機器	きき	device, equipment
図形	ずけい	diagram
電子	でんし	electron

実験	じっけん	experiment
機能	きのう	feature, function
遺伝子	いでんし	gene
先端技術	せんたんぎじゅつ	high tech
水素	すいそ	hydrogen
情報処理	じょうほうしょり	information processing
情報革命	じょうほうかくめい	information revolution
核融合	かくゆうごう	nuclear fusion
原子炉	げんしろ	nuclear reactor
生物	せいぶつ	organism
宇宙	うちゅう	outer space
電波	でんぱ	radio wave, mobile phone signal
放射能	ほうしゃのう	radioactivity
科学	かがく	science
原理	げんり	scientific law
宇宙開発	うちゅうかいはつ	space development
技術	ぎじゅつ	technology

産業(さんぎょう) Industry

植林	しょくりん	afforestation
農地	のうち	agricultural land
農産物	のうさんぶつ	agricultural products
農業	のうぎょう	agriculture
畜産	ちくさん	animal husbandry
大麦	おおむぎ	barley
化学肥料	かがくひりょう	chemical fertilizer
化学工業	かがくこうぎょう	chemical industry
炭坑	たんこう	coal mine
近海漁業	きんかいぎょぎょう	coastal fishery
建設	けんせつ	construction
契約農業	けいやくのうぎょう	contract farming
綿織物	めんおりもの	cotton textiles
耕作	こうさく	cultivation
薬品	やくひん	drugs, medicine

電力	でんりょく	electrical power
電気製品	でんきせいひん	electronics
工場	こうじょう	factory
農場	のうじょう	farm
農民	のうみん	farmers
農家	のうか	farming family
肥料	ひりょう	fertilizer
繊維	せんい	fiber, texture
水産業	すいさんぎょう	fishery
食品	しょくひん	foods
食料品	しょくりょうひん	foodstuffs
林業	りんぎょう	forestry
燃料	ねんりょう	fuel
豊作	ほうさく	good harvest
穀物	こくもつ	grain
収穫	しゅうかく	harvest, crop
産業	さんぎょう	industry
在庫	ざいこ	inventory
鉄鉱石	てっこうせき	iron ore
地主	じぬし	land owner
土地利用	とちりよう	land use
家畜	かちく	livestock
木材	もくざい	lumber
機械工業	きかいこうぎょう	machinery industry
機械	きかい	machines
製造	せいぞう	manufacture
加工	かこう	manufacturing
工業	こうぎょう	manufacturing industry
水産物	すいさんぶつ	marine products
米価	べいか	market price of rice
大量生産	たいりょうせいさん	mass production
金属	きんぞく	metal
金属工業	きんぞくこうぎょう	metal industry
鉱山	こうざん	mine
鉱業	こうぎょう	mining industry

有機農業	ゆうきのうぎょう	organic farming
牧場	ぼくじょう	pasture
石油	せきゆ	petroleum
生産	せいさん	production
土木	どぼく	public works
品質管理	ひんしつかんり	quality control
精錬	せいれん	refining, smelting
修理	しゅうり	repair
資源	しげん	resources
はだか麦	はだかむぎ	rye
自給	じきゅう	self-sufficiency
造船	ぞうせん	shipbuilding
大豆	だいず	soy beans
宇宙産業	うちゅうさんぎょう	space industry
主食	しゅしょく	staple foods
鉄鋼	てっこう	steel
砂糖	さとう	sugar
織物	おりもの	textiles
船舶	せんぱく	vessel
倉庫	そうこ	warehouse
捕鯨	ほげい	whaling
小麦	こむぎ	wheat

雇用(こよう) Employment

年収	ねんしゅう	annual income
補償	ほしょう	compensation
雇用	こよう	employment
幹部	かんぶ	executive staff
就職	しゅうしょく	finding employment
求人	きゅうじん	job offers
求職者	きゅうしょくしゃ	jobseeker
労働	ろうどう	labor
労働契約	ろうどうけいやく	labor contract
労働法	ろうどうほう	labor law

労務	ろうむ	manual labor
職業	しょくぎょう	occupation
組織	そしき	organization
残業手当	ざんぎょうてあて	overtime pay
残業	ざんぎょう	overtime work
給料	きゅうりょう	pay, salary
年金	ねんきん	pension
人員整理	じんいんせいり	personnel reduction
昇進	しょうしん	promotion
実質賃金	じっしつちんぎん	real wages
辞職	じしょく	resignation
退職	たいしょく	retirement
年功序列	ねんこうじょれつ	seniority ranking
初任給	しょにんきゅう	starting salary
争議	そうぎ	strike
臨時社員	りんじしゃいん	temporary worker
失業	しつぎょう	unemployment
組合	くみあい	union
昇給	しょうきゅう	wage increase
賃金	ちんぎん	wages
労働災害	ろうどうさいがい	work accident
勤労者	きんろうしゃ	worker
工員	こういん	worker
労働条件	ろうどうじょうけん	working conditions
勤務時間	きんむじかん	working hours
職場	しょくば	workplace

逓信（ていしん） Communications

記事	きじ	article
著者	ちょしゃ	author
放送	ほうそう	broadcasting
放送衛星	ほうそうえいせい	broadcasting satellite
放送局	ほうそうきょく	broadcasting station
全集	ぜんしゅう	collected works

民間放送	みんかんほうそう	commercial broadcasting
目次	もくじ	contents
著作権	ちょさくけん	copyright
表紙	ひょうし	cover
編集長	へんしゅうちょう	editor-in-chief
社説	しゃせつ	editorial
見出し	みだし	headline
索引	さくいん	index
情報	じょうほう	information
投書	とうしょ	letter to the editor
生放送	なまほうそう	live broadcast
月刊誌	げっかんし	monthly magazine
取材	しゅざい	news gathering
新聞	しんぶん	newspaper
新聞発行部数	しんぶんはっこうぶすう	newspaper circulation
新聞社	しんぶんしゃ	newspaper publishing company
光通信	ひかりつうしん	optical communication
文庫本	ぶんこぼん	paperback
出演	しゅつえん	performance
印刷	いんさつ	printing
出版	しゅっぱん	publishing
録音	ろくおん	recording
報道	ほうどう	report, news
記者	きしゃ	reporter
単行本	たんこうぼん	separate volume
特派員	とくはいん	special correspondent
電気通信	でんきつうしん	telecommunication
電報	でんぽう	telegram
録画	ろくが	video recording
週刊誌	しゅうかんし	weekly magazine

交通(こうつう) Transportation

国鉄	こくてつ	Japan National Railway (JNR)
到着	とうちゃく	arrival

乗車	じょうしゃ	board a train
新幹線	しんかんせん	bullet train, super express
貨物	かもつ	cargo, freight
衝突	しょうとつ	collision
通勤	つうきん	commuting
交差点	こうさてん	crossing
発車	はっしゃ	departure
出発	しゅっぱつ	departure
回り道	まわりみち	detour
国内線	こくないせん	domestic airline
運転免許証	うんてんめんきょしょう	driver's license
急行	きゅうこう	express
高速道路	こうそくどうろ	expressway
不通	ふつう	interruption
着陸	ちゃくりく	landing
路地	ろじ	lane
幹線	かんせん	main line
国道	こくどう	national highway
一方通行	いっぽうつうこう	one-way traffic
駐車	ちゅうしゃ	parking
旅客	りょかく	passenger
乗客	じょうきゃく	passenger
乗用車	じょうようしゃ	passenger car
旅客機	りょかくき	passenger plane
歩道橋	ほどうきょう	pedestrian bridge
自家用車	じかようしゃ	private car
私鉄	してつ	private railroad
鉄道	てつどう	railroad
踏切	ふみきり	railroad crossing
進路	しんろ	route, path
近道	ちかみち	shortcut
歩道	ほどう	sidewalk
信号	しんごう	signal, traffic light
特急	とっきゅう	special express
速度制限	そくどせいげん	speed limit

地下鉄	ちかてつ	subway
離陸	りりく	take off
有料道路	ゆうりょうどうろ	toll road
交通事故	こうつうじこ	traffic accident
交通違反	こうつういはん	traffic violation
列車	れっしゃ	train
時間表	じかんひょう	train schedule
輸送	ゆそう	transportation
交通	こうつう	transportation, traffic
左折	させつ	turn left
右折	うせつ	turn right

旅行(りょこう) Travel

旅館	りょかん	Japanese inn
食堂車	しょくどうしゃ	dining car
免税品	めんぜいひん	duty-free goods
民宿	みんしゅく	family inn
団体旅行	だんたいりょこう	group tour
案内所	あんないじょ	information bureau
手荷物	てにもつ	luggage
地図	ちず	map
予約	よやく	reservation
指定席	していせき	reserved seat
定期券	ていきけん	season ticket
座席番号	ざせきばんごう	seat number
観光旅行	かんこうりょこう	sightseeing tour
寝台車	しんだいしゃ	sleeping car
満席	まんせき	sold-out seating
宿泊	しゅくはく	stay
切符	きっぷ	ticket
改札口	かいさつぐち	ticket gate
添乗員	てんじょういん	tour conductor
旅行	りょこう	travel
旅行代理店	りょこうだいりてん	travel agency

旅費　りょひ　travel expenses
自由席　じゆうせき　unreserved seat
空席　くうせき　vacant seat

てんき
天気 Weather

気圧　きあつ　air pressure
気象　きしょう　atmospheric phenomena
高気圧　こうきあつ　high pressure
湿度　しつど　humidity
低気圧　ていきあつ　low pressure
気象衛星　きしょうえいせい　meteorogical satellite
気象台　きしょうだい　meteorological observatory
雨量　うりょう　rainfall
衛星　えいせい　satellite
気温　きおん　temperature
天気　てんき　weather
天気図　てんきず　weather chart

しぜん
自然 Nature

寒波　かんぱ　cold wave
地殻運動　ちかくうんどう　crustal movement
地震　じしん　earthquake
噴火　ふんか　eruption
熱波　ねっぱ　heat wave
自然　しぜん　nature
高原　こうげん　plateau, highland
暴風雨　ぼうふうう　rainstorm
雪崩　なだれ　snowslide, avalanche
熱帯林　ねったいりん　tropical forest
台風　たいふう　typhoon
火山　かざん　volcano

悲劇（ひげき） Tragedy

事故	じこ	accident
酸性雨	さんせいう	acid rain
大気汚染	たいきおせん	air pollution
全焼	ぜんしょう	burned down
死傷者	ししょうしゃ	casualties
犠牲者	ぎせいしゃ	casualty, victim
冷害	れいがい	cold weather damage
崩壊	ほうかい	collapse
遺体	いたい	corpse
墜落	ついらく	crash
損害	そんがい	damage
被害	ひがい	damage
脱線	だっせん	derailment
参事	さんじ	disaster
災害	さいがい	disaster
被災地	ひさいち	disaster-stricken area
旱魃	かんばつ	drought
非常口	ひじょうぐち	emergency exit
避難	ひなん	evacuation
火事	かじ	fire
火災報知器	かさいほうちき	fire alarm
消防車	しょうぼうしゃ	fire engine
消防署	しょうぼうしょ	fire station
火災	かさい	fire, conflagration
消火	しょうか	firefighting
洪水	こうずい	flood
地球温暖化	ちきゅうおんだんか	global warming
負傷者	ふしょうしゃ	injured person
浸水	しんすい	inundation
土砂崩れ	どしゃくずれ	landslide
山崩れ	やまくずれ	landslide
山津波	やまつなみ	landslide, landslip
人命救助	じんめいきゅうじょ	life-saving

落雷　らくらい　lightning strike
集中豪雨　しゅうちゅうごうう　localized heavy rain
出火　しゅっか　outbreak of fire
公害　こうがい　pollution
汚染　おせん　pollution
追突　ついとつ　rear-end collision
遭難　そうなん　shipwreck, distress
雪害　せつがい　snow damage
風水害　ふうすいがい　storm and flood damage
竜巻　たつまき　tornado
全壊　ぜんかい　total destruction
悲劇　ひげき　tragedy
津波　つなみ　tsunami
流失　りゅうしつ　washed away
水害　すいがい　water damage

生活（せいかつ） Life

冷房　れいぼう　(cold) air conditioning
水族館　すいぞくかん　aquarium
床屋　とこや　barbershop
風呂屋　ふろや　bathhouse
出生率　しゅっしょうりつ　birthrate
朝食　ちょうしょく　breakfast
食堂　しょくどう　cafeteria
乾杯　かんぱい　cheers, to toast
喫茶店　きっさてん　coffee shop
会話　かいわ　conversation
死亡　しぼう　death
死亡率　しぼうりつ　death rate
子孫　しそん　descendant, offspring
夕食　ゆうしょく　dinner
離婚　りこん　divorce
毎朝　まいあさ　every morning
家庭　かてい　family

流行	りゅうこう	fashion
美容院	びよういん	hair salon
暖房	だんぼう	heating
趣味	しゅみ	hobby
主婦	しゅふ	housewife
飢餓	きが	hunger, famine
障害者	しょうがいしゃ	impaired or disabled person
即死	そくし	instant death
国際結婚	こくさいけっこん	international marriage
冗談	じょうだん	joke
台所	だいどころ	kitchen
余暇	よか	leisure time
生活	せいかつ	life, lifestyle
生活様式	せいかつようしき	lifestyle
結婚	けっこん	marriage
軽傷	けいしょう	minor injury
昼寝	ひるね	nap
国勢調査	こくせいちょうさ	national census
親子	おやこ	parent and child
現代	げんだい	present age, modern times
冷蔵庫	れいぞうこ	refrigerator
再婚	さいこん	remarriage
重傷	じゅうしょう	serious injury
独身	どくしん	single, unmarried
姉妹	しまい	sisters
生活水準	せいかつすいじゅん	standard of living
現在	げんざい	the present, present time
未成年者	みせいねんしゃ	underaged person, minor
浮浪者	ふろうしゃ	vagabond
披露宴	ひろうえん	wedding reception
動物園	どうぶつえん	zoo

文化(ぶんか) Culture

仏教	ぶっきょう	Buddhism
仏像	ぶつぞう	Buddhist statue
文楽	ぶんらく	Bunraku
狂言	きょうげん	Japanese comic theater
布団	ふとん	Japanese mattress
日本画	にほんが	Japanese style painting
和室	わしつ	Japanese-style room
国立劇場	こくりつげきじょう	National Theater
年賀状	ねんがじょう	New Year's card
神社	じんじゃ	Shinto shrine
神道	しんとう	Shintoism
洋画	ようが	Western painting
古代史	こだいし	ancient history
骨董	こっとう	antique
芸術	げいじゅつ	art
画廊	がろう	art gallery
美術館	びじゅつかん	art museum
芸術家	げいじゅつか	artist
観客	かんきゃく	audience
楽団	がくだん	band
埴輪	はにわ	burial mound figure
書道	しょどう	calligraphy
陶芸	とうげい	ceramic art
将棋	しょうぎ	chess
合唱	がっしょう	chorus
教会	きょうかい	church
文明	ぶんめい	civilization, culture
作曲	さっきょく	composition
音楽会	おんがくかい	concert
文化交流	ぶんかこうりゅう	cultural exchange
文化財	ぶんかざい	cultural heritage
文化	ぶんか	culture
習慣	しゅうかん	custom, habit

舞踊	ぶよう	dance
現像	げんぞう	developing film
演劇	えんげき	drama
娯楽	ごらく	entertainment
芸能	げいのう	entertainments
武士道	ぶしどう	ethical code of the samurai
童話	どうわ	fairy tale
信仰	しんこう	faith, religious belief
映画祭	えいがさい	film festival
美術	びじゅつ	fine arts
華道	かどう	flower arrangement
花見	はなみ	flower viewing
民芸	みんげい	folkcraft
葬式	そうしき	funeral
囲碁	いご	game of go
麻雀	まーじゃん	game of mahjong
墓地	ぼち	graveyard
祝日	しゅくじつ	holiday
歌舞伎	かぶき	kabuki
剣道	けんどう	kendo
山水画	さんすいが	landscape painting
俳優	はいゆう	male or female actor
月見	つきみ	moon viewing
追悼	ついとう	mourning
映画	えいが	movie
演出	えんしゅつ	movie or play production
映画館	えいがかん	movie theater
博物館	はくぶつかん	museum
音楽	おんがく	music
祭日	さいじつ	national holiday
国宝	こくほう	national treasure
小説	しょうせつ	novel
油絵	あぶらえ	oil painting
古墳	こふん	old burial mound
管弦楽	かんげんがく	orchestral music

画家	がか	painter
演奏	えんそう	performance
演技	えんぎ	performance
写真	しゃしん	photographs
絵画	かいが	picture
人気歌手	にんきかしゅ	popular singer
人気	にんき	popularity
宗教	しゅうきょう	religion
遺跡	いせき	ruins
彫刻	ちょうこく	sculpture
彫像	ちょうぞう	sculpture, carved statue
舞台	ぶたい	stage
物語	ものがたり	story, tale
交響楽	こうきょうがく	symphony
茶道	さどう	tea ceremony
劇場	げきじょう	theater
思想	しそう	thoughts, ideas
伝統	でんとう	tradition
邦楽	ほうがく	traditional Japanese music
民謡	みんよう	traditional folk song
浮世絵	うきよえ	ukiyo-e
初詣	はつもうで	visit to a shrine on New Year's
壁画	へきが	wall painting
洋食	ようしょく	western food
洋服	ようふく	western-style clothes
版画	はんが	woodblock print
作品	さくひん	work
作家	さっか	writer

祝日（しゅくじつ） Holidays

子供の日	こどものひ	Children's Day, May 5
成人の日	せいじんのひ	Coming of Age Day, Jan. 15
憲法記念日	けんぽうきねんび	Constitution Day, May 3
文化の日	ぶんかのひ	Culture Day, Nov. 3

天皇誕生日	てんのうたんじょうび	Emperor's Birthday, Feb. 23
みどりの日	みどりのひ	Greenery Day, April 29
勤労感謝の日	きんろうかんしゃのひ	Labor Thanksgiving Day, Nov. 23
海の日	うみのひ	Marine Day, July 20
建国記念の日	けんこくきねんのひ	National Foundation Day, Feb. 11
元日	がんじつ	New Year's Day
敬老の日	けいろうのひ	Respect for the Aged Day, Sept. 21
体育の日	たいいくのひ	Sports Day, Oct. 12

スポーツ Sports

球技	きゅうぎ	ball game
野球	やきゅう	baseball
球場	きゅうじょう	baseball stadium
球団	きゅうだん	baseball team
引き分け	ひきわけ	draw, tie
運動	うんどう	exercise
決勝	けっしょう	final match
勝負	しょうぶ	game, contest, match
体育館	たいいくかん	gymnasium
体操	たいそう	gymnastics
競馬	けいば	horse race
乗馬	じょうば	horse riding
柔道	じゅうどう	judo
空手	からて	karate
試合	しあい	match
選手	せんしゅ	player
練習	れんしゅう	practice
土俵	どひょう	ring
相撲	すもう	sumo wresting
力士	りきし	sumo wrestler
水泳	すいえい	swimming
卓球	たっきゅう	table tennis
大会	たいかい	tournament
優勝	ゆうしょう	victory

CPSIA information can be obtained
at www.ICGtesting.com
Printed in the USA
BVHW012101211022
649988BV00006B/303